中华经典藏书

论语

张燕婴 译注

中华书局

前　言

一　《论语》的结集流传

　　《论语》,语录体文集。主要记载孔子及其弟子的言行,因此称为"语"。此书成于众手。早在春秋后期孔子设坛讲学时期,其主体内容就已结集完成;经由孔子弟子和再传弟子的代代传授,并逐渐将传诵的孔门语录言行记录下来,集腋成裘;最终在战国初年汇辑论纂以成书,因此称为"论(lún)"。然而由于没有固定的编者,此书也就没有严格的编纂体例,每条语录就是一章,若干章合为一篇。章与章之间,篇与篇之间,没有密切的联系,只是大致以类相从,有些章句还重复出现。这种情况在中国最早的一批典籍中多有存在。

　　根据《汉书·艺文志》的记载,《论语》传到汉代,出现了三种传本。今文(用汉代通行的隶书书写)《论语》两家,即《鲁论语》二十篇和《齐论语》二十二篇(多《问王》、《知道》两篇)。两家所记文字颇有不同。又有古文(用先秦时期的六国文字抄写)《论语》一家,二十一篇(分《尧曰》篇"子张问"以下为另一篇),篇次、文字多与今文《论语》有异。1973年河北定县八角廊汉墓(可能是西汉中山怀王刘修的墓)中出土的竹简中,有《论语》一书,残存的篇幅不到今本《论语》的一半。但根据尾题残简所记各篇章数、字数来看,多与今本不同,正文文字与今本亦多不同。据此可以帮助我们了解当时《论语》三家的分歧情况。汉初三家各有师承,到西汉末年,安昌侯张禹先后学习了《鲁论语》和《齐论语》,而将两个传本合一,篇目则以《鲁论语》为根据,号曰《张侯论》。张禹是汉成帝的老师,位贵学显,所以他整理的本子终行于世。东汉灵帝时所刻的熹平石经用的就是《张侯论》,我们今天所看到的《论语》也基本上就是《张侯论》的传本。至东汉末,郑玄又以《张侯论》为基础,参考《齐论语》、古文《论语》,编校成一个新的本子,并加以注释。此本唐以后不传,有敦煌遗书本残卷,新疆阿斯塔那唐墓也出土过唐抄郑玄《论语注》残本。

《汉书·艺文志》,承袭西汉末年成书的《七略》而来,已将《论语》与《易》《书》《诗》《礼》《春秋》等经典一起著录在《六艺略》中,不过当时是作为传述经典的"传记"来看待。东汉熹平四年(175)刻太学石经,以正五经文字之时,还包括了《论语》、《孝经》,从此《论语》实质上已具备了经典的地位。到了唐代,《论语》正式列入经书。从宋代起又成为颁定的《十三经》之一,并在之后的很长时间中作为科举取士的考试科目。

二　孔子的生平简历

孔子(前551－前479),名丘,字仲尼,春秋后期鲁国陬邑(今山东曲阜)人,我国古代伟大的思想家、教育家,儒家学派创始人。

孔子的祖先本是宋国的贵族,其五世祖孔父嘉因躲避宫廷祸乱,由宋奔鲁,定居在鲁国。孔子的父亲叔梁纥做过小官,但地位较低。孔子三岁时,父亲死去,过着艰苦的生活,因此说:"吾少也贱,故多能鄙事。"(见9.6章)鲁国是一个礼乐之邦,比较完整地保存了西周的文化传统(参见6.24章)。孔子自幼受到周文化的熏陶,成年以后又以好礼、知礼闻名(参见3.15章)。

孔子在仕途上并不顺利。为了实现自己的政治理想,他曾经周游过许多国家。鲁昭公二十五年(前517),季氏逐昭公,昭公逃往齐国避难。孔子也离开鲁国到了齐国。齐景公向孔子问政,孔子答以"君君、臣臣、父父、子子"(见12.11章)。齐景公想以尼溪封孔子,遭到齐国大夫晏婴的反对。齐国革新派也对孔子整顿宗法等级制度的主张不满,想加害于他,使他不得不返回鲁国。鲁定公初年,大夫季氏专鲁国之权,其家臣阳货又挟制季氏,国家处于"陪臣执国命"(见16.2章)的状况。阳货力劝孔子出仕(参见17.1章),孔子不仕,创办私学,从事教育。事实上,孔子的教育事业终生不辍,即使是周游列国之时也有弟子追随(参见11.2章)。

鲁定公八年(前502),季氏家臣阳货作乱失败,叛鲁奔齐,孔子始出仕,由中都宰而为司空,又升为大司寇,时间约在定公九年、十年之际。大司寇主管司法,有相当的实权。孔子利用自己的职位为实现尊王忠君的社会目标做了些事情。他采取了不少伸张鲁君势力、抑止操权大夫的措施。如利用鲁国季孙氏、叔孙氏、孟孙氏三家执政大夫与他们家臣的矛盾,提出削弱家臣势力的建议,得到三家的同意。此举名义上是削弱家臣的势力,改变"陪臣执国命"的局面,最终目的则在于削弱操纵国政的大夫的势力。这就与三家的主张完全背离(参见16.1章)。因此,孔子很快为季桓子所疏远。季桓子接受了齐国馈赠的歌妓舞女,迷恋于声色,三日不听朝政,孔子便毅然离开鲁国(参见18.4章),到别的国家寻找实现政治理想的机会,于是开始了周游列国的生涯。

孔子出游,首先到了卫国。卫国与鲁国情况相近(参见13.7章),也是一个传统的礼乐之邦,国中贤者很多(参见14.19章),并且人口兴旺,具备了富强、教化的基础(参见13.9章),因此孔子对卫国抱有希望。但是国君卫灵公好征战,与孔子的德政思想相悖,孔子只得离开卫国(参见15.1章),前往陈国。途经宋国时,受到宋国司马桓魋的威胁(参见7.23章);到了陈国,也遭遇困厄(参见15.2章)。还去过蔡国,往来于陈、蔡之间(参见11.2章),终未得志。卫出公辄继卫灵公即位后(参见 7.15 章),孔子由陈国回到卫国,执政大夫孔文子(圉)留孔子从政,孔子欲给卫出公提出正名分的建议(参见 13.3 章),但终未得到实权,无所作为。

鲁哀公十一年(前 484)冬,孔子返回鲁国。鲁国以国老待孔子,遇事多有征询,却未尝听用其言。如他举"周公之典"来反对季康子"以田赋"(参见 11.17 章注)。孔子便专心于古代文献的整理工作(参见 9.15 章)。鲁哀公十四年春,鲁国西狩获麟。传说麟为仁兽,世无王者不会出现,而此麟出现得很不是时候,孔子非常悲伤,叹道:"吾道穷矣!"(《公羊传·哀公十四年》)同年六月,齐国陈成子(桓)弑其君。孔子再三请求鲁国伐齐,讨陈成子"无道"之人(参见 14.21 章)。鲁哀公十六年,孔子去世。

三 《论语》的价值要义

《论语》是儒家的原始经典之一,要了解孔子和他的学说,《论语》是最直接、最可靠的资料。孔子思想的内容很丰富,归纳起来说,其核心是"仁"论。孔子"仁"论贯穿于他的哲学、政治、教育、伦理、文化主张的诸多方面,即所谓"一以贯之"(见 4.15、15.3 章),孔子其人伟大的人格感召力也凝聚于此。兹概括简要述之。

个体修养。孔子思想以立身为出发点,而人能立身于世的首要条件就是具有"君子"人格。君子具备仁爱之心，自重自律；表里如一，言行一致；积极进取，德才兼备；孜孜于学，注重实践；安贫乐道，谨守正义。

人际交往。孔子学说是有关人与人相处之道的学说，由伦理关系之不同，又分化为孝悌、忠恕、信义、礼数等德目，从而构建和谐友爱的人际关系和社会环境。

政治理想。从政治国是实用之大端，虽然孔子个人的从政经历并不辉煌，但他始终胸怀安定天下的政治韬略，强调德治仁政，反对苛政暴敛，主张以人为本、为官廉洁、举贤授能等内容，至今仍有普遍意义。

哲理思维。孔子学说的哲理性集中表现为仁者爱人的警世恒言，"中庸"的认识方法，权变的处事之道，和而不同的开阔襟怀等等，其理论与实践价值历久弥新。他的天命鬼神观念，虽然与今天的认识水平有相当的差别，但也具有那个时代哲理思辨的内涵。

孔子的教育学说也很丰富，包括教学方针、教学对象、教学方法、教学内容、教学态度等内容。如他主张学思并重，学行统一；讲究因材施教，注重启发诱导；强调身教优于言传，注重人格精神的感化作用等，颇有取法价值。

上述种种都可借助《论语》一书来了解，本书将在具体篇章的注释中加以揭示。

此外，作为语录体文集，《论语》记录了春秋时代中原地区的口语，是汉语史研究的基本素材；书中的许多语汇还成为脍炙人口的名言，如"己所不欲，勿施于人"、"三人行必有我师"、"工欲善其事,必先利其器"、"人无远虑,必有近忧"、"欲速则不达"、"岁寒然后知松柏之后凋"等等,均朗朗上口,深入人心。此书修辞手段丰富,语言表达讲究对仗排比,重视韵律,人物刻画自然真实,也是文学史的重要研究资料。《论语》中还保存了不少重要的史实,也是研究春秋时代历史的重要资料。

四 《论语》的古今注本

汉代以来,《论语》有很多注本,今多不传。残存的以郑玄注最多,约有十之六七流传至今,上面已经提到。其他汉代古注则全赖魏何晏等撰《论语集解》得以窥见一二。何晏《论语集解》"自序"说:"今集诸家之善说,记其姓名;有不安者,颇为改易,曰《论语集解》。"此书十卷,是汉以来《论语》注释成果的集大成著作,所集诸家之说,包括汉代的包咸、周氏、孔安国、马融、郑玄,魏时的王肃、周生烈、陈群等。因其去古最近,注文简明,价值颇高,后人多在其基础上作疏。

南朝梁代皇侃《论语义疏》十卷,即就何晏《论语集解》作疏,既疏解正文,又疏解注文。此书吸收了晋江熙《集解论语》中的十三家旧说及其他通儒解释,引用时皆标姓名。内容丰富,引据详博,文字方面又与后来通行的邢疏本存在较大差异,因此有很高的资料价值和版本价值。此注本南宋时亡佚,但在日本流传不废。清乾隆间传归,并收入《四库全书》;又有《知不足斋丛书》本和武英殿刻本。

宋邢昺等《论语注疏》，又称《论语正义》，原十卷，后人析为二十卷。此书约略皇疏而成，又傅以义理。但书中援引旧说多不具姓名，有失注疏之体。传世本中以清代阮元南昌府学刻本为佳，并附有校勘记。

宋朱熹《论语集注》十卷，兼取《论语集解》古注，又采集宋以来数十家解说，引用时各标姓氏名字。注释内容兼有训诂考证与分析义理，注文则简明扼要。有宋理宗淳祐十二年(1252)合刻《四书集注》本传世。元明时期科举取士皆以朱熹《论语集注》为据，形成朱注独尊的局面。清代考据学兴起，开始批评宋学，这种情况才有所改变。

清刘宝楠、刘恭冕父子的《论语正义》二十四卷，是清代同治以前研究整理《论语》的集大成之作。此书训诂、考据、校勘、义理兼重，尤以训诂、考据见长。正文全依邢疏本，异文考订列入疏文。先疏解正文，次及注义；遇诸说于义均通者，则兼存以备考。引据不限注《论语》者之说，他书书证亦颇丰富。有同治五年刻本，《续皇清经解》本。

近人程树德撰《论语集释》四十卷。此书引书六百八十种，包括自古至清以及刘宝楠《论语正义》以后的清人、近人著作。分考异、音读、考证、集解、唐以前古注、集注、别解、余论、发明、按语等十项，集中了大量校释、考证和义理分析的成果。有中华书局排印的《新编诸子集成》本。

以上所举都是传统注本,初学者读之可能有些艰深困难。下面再介绍几种新式注本。

杨伯峻《论语译注》。此书首先对文句作了今译,注释中则对字音词义、语法规律、修辞方式、历史知识、地理沿革、名物制度、风俗习惯等作了简要说明。书后附有《论语词典》,对书中所用字词的频次作了统计,含义加以概括,并简要条列例证。有中华书局1958年版,1980年第二版。

钱穆《论语新解》。此书分前十篇、后十篇为上、下编。内容包括解释和白话试译两部分,解释以注释、讲解为主,间亦介绍异说,时有判断。此外还留意对章旨的分析。三联书店2002年出版。

孙钦善《论语注译》。此书亦包括注释、今译。注释方面最突出的特点是利用《论语》内部材料互证,对全面理解孔子思想起到很好的作用。在今译方面,力求在直译的基础上做到语句顺畅、典雅。收入《古代文史名著选译丛书》,巴蜀书社1990年出版。

本书包括正文和注解两大部分。正文选用杨伯峻《论语译注》本,并参考其他版本校勘。文本有误的,在原文上径改,不出校勘记,只在注释中加以说明。注解内容又分为题解、注释和译文三种。题解概述每篇的主体内容,因《论语》一书是集章成篇的体例,各章间的关联性较小,故题解首先介绍分章情况,再逐章解说大义,如该篇内容有较为集中的主旨也给予说明。注释以解释名词术语为主,兼及历史背景、名物制度、礼制习俗等的介绍,希望以此帮助读者理解孔子思想的基本内容。译文部分以直译为主,兼用意译。个别章在翻译时,为了行文的顺畅径直补入了一些内容,而不用括号分隔标示;所补内容突兀的,则在注释中加以说明。

张燕婴

2006 年 5 月

目　录

学而第一

　　《论语》一书共二十篇。各篇的命名并没有特别的用意,只是选用该篇开始的两三个字作为一篇的题目,这种类型的篇题在先秦时代的典籍中比较常见。《论语》全书二十篇中以"子曰"起首的有七篇,因此这些篇的篇名就选用"子曰"之后的两三个字,以便相互区别。

　　"学而"篇可分为十六章。包括孔子语录 9 章,有子 3 章,曾子 2 章,子夏、子贡各 1 章。内容涉及学习、为人和修养道德等方面,也有一些论政的语录。包括"学而时习"的学习方法,孝弟为本的仁学基础,不断反省的进德手段,节用爱人、使民以时的治国手段,先道德后文化的学习进程,"无友不如己者"的交友原则,过则能改的君子气度,"慎终追远"的行孝规定,"温良恭俭让"的行己作风,安贫乐道、敏行慎言的君子之德,推己及彼、举一反三的治学能力等。

　　读此篇即可初步了解孔子作为教育家、思想家和政治家的多重身份。

1.1 子曰①:"学而时习之,不亦说乎②?有朋自远方来,不亦乐乎?人不知而不愠③,不亦君子乎?"

注释:

①子:古代对男子的尊称。《论语》一书中"子曰"都是孔子所讲的话。

②说:同"悦",高兴、愉快的意思。

③愠(yùn):怨恨。

译文:

孔子说:"学了,然后按时实习,不也是很高兴的吗?有志同道合的人从远方来相会,不也是很快乐的吗?别人不了解自己,自己并不生气,不也是君子吗?"

1.2 有子曰①:"其为人也孝弟,而好犯上者②,鲜矣③!不好犯上,而好作乱者,未之有也。君子务本④,本立而道生。孝弟也者,其为仁之本与⑤!"

注释:

①有子:孔子弟子。姓有,名若。《论语》中记载孔子弟子时一般称字,只对曾参和有若全部尊称为子,据此有很多人认为《论语》一书是曾参和有若的弟子记录而成的。

②弟(tì):同"悌",遵从兄长。

③鲜(xiǎn):少。

④务:致力于。

⑤与:同"欤(yú)",疑问语气词。

译文:

　　有子说:"为人孝敬父母、尊敬兄长的,却喜欢冒犯上级,这种人很少。不喜欢冒犯上级,却喜欢造反作乱,这种人从来也没有过。君子致力于根本性工作,根本确立了,正道就随之产生。孝敬父母、尊敬兄长这些内容,大概就是施行'仁'道的基础吧。"

1.3　子曰:"巧言令色①,鲜矣仁。"

注释:

①令色:好的脸色。这里指假装和善。

译文:

　　孔子说:"花言巧语、面貌伪善的人,仁德是很少的。"

1.4　曾子曰①:"吾日三省吾身②:为人谋而不忠乎? 与朋友交而不信乎? 传不习乎③?"

注释:

①曾子:孔子弟子。姓曾,名参,字子舆。

②三省(xǐng):多次反省。古代汉语中动作性动词前加数字修饰成分的,一般表示动作的频率。而"三""九"等数字,一般表示次数多,不必落实为具体次数。此章下文恰好是三件事,只是一种巧合。

③传(chuán):老师的传授。

译文：

　　曾子说："我每天多次自我反省：替别人谋划事情是否尽心竭力呢？与朋友交往是否诚实相待呢？老师传授的学业是否认真复习了？"

1.5　子曰："道千乘之国①，敬事而信，节用而爱人，使民以时②。"

注释：

①道(dǎo)："导"的古体字，治理。千乘(shèng)：古代用四匹马拉的一辆兵车称为一乘。春秋战国时代，国力的强盛以该国所拥有的兵车的数量来计算。孔子生活之世，"千乘之国"已算不上是诸侯大国了，所以《论语》中有"千乘之国，摄乎大国之间"（见11.26章）的话。

②以时：按时，这里指不违背农时。

译文：

　　孔子说："治理拥有一千辆兵车的国家，就要严肃认真地对待工作，言而有信，节约用度，关爱百姓，不在农忙时节役使百姓。"

1.6　子曰："弟子入则孝，出则悌，谨而信，泛爱众，而亲仁。行有余力，则以学文。"

译文：

　　孔子说："年轻人，在家就要孝顺父母，出门在外就要尊敬兄长,行为谨慎,言语有信,博爱众人,亲近仁者。这些都做到之后还有余力的话,就去学习文化。"

1.7 子夏曰①:"贤贤易色②,事父母,能竭其力,事君,能致其身③,与朋友交,言而有信;虽曰未学,吾必谓之学矣。"

注释:

①子夏:孔子弟子。姓卜,名商,字子夏。孔子弟子中有所谓"四科十哲"之说,子夏长于"文学"(见11.3章)。

②贤贤易色:看重德行,轻视表面的姿态。易,轻视。

③致:给予,献出。

译文:

　　子夏说:"看重实际的德行,轻视表面的姿态。侍奉父母要竭尽全力,服务君主要奉献自身,与朋友交往要说话诚实有信。这样的人,虽然说没有学习过,我也一定说他学习过了。"

1.8 子曰:"君子不重则不威;学则不固①。主忠信②,无友不如己者,过则勿惮改。"

注释:

①固:固执己见。

②"主忠信"以下三句与前两句意思不相连贯,又见于9.25章,疑是错简重出于此。

译文：

孔子说："称得上君子的人，如果不庄重就没有威严，知道学习就不会自以为是、顽固不化。恪守忠诚信实的道德要求，不与道德上不如自己的人交往，有了错误就不要怕改正。"

1.9　曾子曰："慎终，追远①，民德归厚矣！"

注释：

①终、远：曾子以继承和传播孔子有关孝道的思想闻名，如《大戴礼记》中有"曾子本孝""曾子立孝""曾子大孝""曾子事父母"等篇章记录有关生前敬事父母或死后葬祭礼仪等关于如何行孝的规定。所以，这里的"终""远"分别指长辈丧亡之事和对于远祖的祭祀。

译文：

曾子说："恭敬慎重地办理父母的丧事，虔诚静穆地追祭历代的祖先，老百姓的道德就会趋向敦厚了。"

1.10　子禽问于了贡口①："夫子至于是邦也②，必闻其政。求之与？抑与之与？"子贡曰："夫子温、良、恭、俭、让以得之③。夫子之求之也，其诸异乎人之求之与④！"

注释：

①子禽：陈亢(kàng)，字子禽。从《子张》篇的记事来看，

陈亢不是孔子的弟子，他对孔子的学说总是持怀疑的
态度，参看 16.13，19.25 章。子贡：孔子弟子。姓端
木，名赐。在"四科十哲"中属"言语"（见 11.3 章）。
②夫子：古人对于做过大夫的男子的敬称。孔子曾是鲁
国的司寇（掌管刑狱的官员），所以他的学生称他为夫
子，后来沿袭成对老师的称呼。在一定的场合下，又可
以专指孔子。
③俭：约束。
④其诸：表示不肯定的推测语气。

译文：

　　子禽问子贡说："夫子每到一个国家，一定能够听到
那个国家的政治状况，是求教得来的呢？还是人家主动
告诉他的呢？"子贡说："先生温和、善良、恭敬、谨慎、谦
让，是凭着这些德性得到的。先生求取的办法，大概不同
于别人求取的办法吧？"

1.11　子曰："父在，观其志①；父没②，观其行；
三年无改于父之道，可谓孝矣。"

注释：

①其：指代儿子。
②没（mò）：死去。

译文：

　　孔子说："父亲在世的时候，要观察儿子的志向。父
亲去世之后，要观察儿子的实际行动。如果能够多年不
改变父亲传下来的正道的话，就可以说是尽孝了。"

1.12　有子曰："礼之用①,和为贵。先王之道,斯为美②,小大由之。有所不行,知和而和,不以礼节之,亦不可行也。"

注释:

①用:施行。

②斯:此,这。

译文:

　　有子说:"礼的施行,以和谐为美。前代君王的治道,最可贵的地方就在这里,大事小事都遵循这个道理。如果有行不通的地方,只是知道和谐为贵的道理而一味追求和谐,不懂得用礼来节制的道理的话,也是行不通的。"

1.13　有子曰："信近于义,言可复也①。恭近于礼,远耻辱也。因不失其亲②,亦可宗也③。"

注释:

①复:因循,实践。

②因:依靠,凭借。

③宗:尊重,推崇而效法。

译文:

　　有子说:"许下的诺言如果合乎义的话,这样的诺言就是可以遵循实践的。恭敬的样子如果合乎礼的话,就能够避开耻辱。依靠的人中不缺少关系深的,也就可靠了。"

1.14 子曰："君子食无求饱,居无求安,敏于事而慎于言,就有道而正焉①,可谓好学也已。"

注释:

①就:靠近。正:匡正。

译文:

孔子说："君子,吃饭不贪求满足,居住不贪求安逸,做事勤敏,说话谨慎,求教于有道德的人来端正自己,这样就可以说是好学的了。"

1.15 子贡曰:"贫而无谄①,富而无骄,何如?"子曰:"可也。未若贫而乐,富而好礼者也。"

子贡曰:"《诗》云:'如切如磋,如琢如磨'②,其斯之谓与?"子曰:"赐也,始可与言《诗》已矣!告诸往而知来者。"

注释:

①谄(chǎn):巴结,奉承。
②如切如磋,如琢如磨:《诗经·卫风·淇奥》中的句子。切、磋、琢、磨都是制作器物时反复修治的动作,这里用来比喻治学、修身要精益求精。

译文:

子贡说:"贫穷却不谄媚,富有却不骄纵,人能做到这些怎么样呢?"孔子说:"可以了。但是不如贫穷却能怡然自乐,富贵却能谦逊好礼。"

　　子贡说:"《诗经》里说:'像制造器物一样,切割、磋治、雕琢、打磨',大概就是说这类反复修治、精益求精的事吧。"孔子说:"赐呀,可以和你讨论《诗经》了。告诉你一件事,就可以推知另一件事。"

1.16　子曰:"不患人之不己知,患不知人也。"

译文:

　　孔子说:"不担心别人不了解自己,担心的是自己不了解别人。"

为政第二

　　本篇分为二十四章,全部都是孔子的语录。提及的人则有鲁国国君、鲁国大夫、孔子弟子等,据此可以了解孔子为众人师表的情况。

　　本篇论及为政、教化、学习、修养、孝道等方面的内容。孔子主张德政礼治:认为治政必须以教化百姓为首任,从政必须以学习为前提,对于有疑问之事采取谨慎的态度;国君要任用正直之人来辅政,当政者都要从修养自身做起,以使社会形成普遍的道德风气:友爱、孝悌、讲信用。还指出了教学科目的特点,概述了自己为学进德的经历,提倡学思并重的学习方法,反对研习具有极端倾向的学说。2.5－2.8章对孝道的涵义做了集中阐释:能够按照礼的规定办事,无论是父母在世时的赡养义务,还是父母去世后的悼念程序,这样就是尽孝。不要违背礼的规定,不要让父母亲为自己担忧,父母亲所有的担心只出现在疾病这一非人力可以控制的范围内,这也是对父母孝顺的方式。孝敬父母突出在这个"敬"字上,这种感情是人类所特有的,要在日常与长者的交往中显示出来。虽然在孔子的时代,敬顺之情明显是受到等级制的影响而产生的,时至今日则完全可以用对于长者的尊敬来代替。2.9－2.10章谈到考察人的品性要以行动为依据。2.12－2.14章分析了君子的特点:多才多能、堪当重任、积极实践、言行一致。2.23章总结了政治文化世代继承的特点。

2.1 子曰："为政以德,譬如北辰①,居其所而众星共之②。"

注释:

①北辰:北极星。《尔雅·释天》:"北极谓之北辰。"

②共:通"拱",环抱、环绕之意。这里是以北辰比喻统治者,以众星比喻被统治者。

译文:

孔子说:"当政者运用道德来治理国政,就好像北极星,安居其所,而其他众星井然有序地环绕着它。"

2.2 子曰:"《诗》三百①,一言以蔽之,曰:'思无邪②'。"

注释:

①《诗》:《诗经》。三百:概举整数而言。《诗经》实有三百零五篇诗,连同有题无辞的六篇笙诗,共三百十一篇。

②思无邪:《诗经·鲁颂·駉(jiōng)》中的句子,孔子借用来评价《诗经》各篇思想内容的纯止。

译文:

孔子说:"《诗》三百篇,用一句话来总括它,就是'思想主旨纯正无邪'。"

2.3 子曰:"道之以政①,齐之以刑②,民免而无耻③;道之以德,齐之以礼,有耻且格④。"

注释:

①道:同"导",引导。政:法制,禁令。

②齐:整饬。

③免:逃避。

④格:至,来。

译文:

孔子说:"用政令来训导百姓,用刑罚来整饬百姓,百姓只会尽量地避免获罪,却没有羞耻心;用道德来引导人民,用礼教来整饬人民,人民就会有羞耻心而且归顺。"

2.4 子曰:"吾十有五而志于学①,三十而立②,四十而不惑,五十而知天命③,六十而耳顺,七十而从心所欲,不逾矩。"

注释:

①有:通"又"。古人十五岁为入学之年,《礼记·王制》"立四教"郑玄注引《尚书传》曰:"年十五始入小学,年十八入大学。"

②立:指立身行事。《论语》一书中多有以"礼"为立身行事基本原则的说法,如"立于礼"(见8.8章)、"不知礼,无以立"(见20.3章)等,可与此条参看。

③知天命:懂得天命不可抗拒而听天由命。

译文：

孔子说："我十五岁立志于学习；三十岁能依照礼仪的要求立足于世；四十岁不再感到困惑；五十岁能乐天知命；六十岁能听得进各种不同的意见；七十岁能随心所欲地行事，而又从不超出规矩。"

2.5　孟懿子问孝①。子曰："无违。"

樊迟御②，子告之曰："孟孙问孝于我，我对曰，'无违'。"樊迟曰："何谓也？"子曰："生，事之以礼；死，葬之以礼，祭之以礼。"

注释：

①孟懿子：鲁国大夫。姓仲孙，名何忌。"懿"是谥（shì）号（死后所得的尊号）。

②樊迟：孔子弟子。姓樊，名须，字子迟。

译文：

孟懿子问什么是孝。孔子说："不要违背礼的规定。"

樊迟为孔子驾御马车，孔子告诉他说："孟孙向我询问怎样才算是孝，我回答说，'不要违背礼的规定'。"樊迟说："这话是什么意思呢？"孔子说："父母在世的时候，按照礼的要求来服侍他们；去世以后，按照礼的要求来安葬他们，按照礼的要求来祭祀他们。"

2.6　孟武伯问孝①。子曰:"父母唯其疾之忧②。"

注释:

①孟武伯:2.5章中孟懿子的儿子。姓仲孙,名彘。"武"
　是谥号。

②其:指代子女。

译文:

　　孟武伯问什么是孝。孔子说:"父母对于子女,只为
他们的疾病担忧。"

2.7　子游问孝①。子曰:"今之孝者,是谓能
养。至于犬马②,皆能有养;不敬,何以别乎?"

注释:

①子游:孔子弟子。姓言,名偃,字子游,吴人。在"四科
　十哲"中属"文学"(见11.3章)。

②至于:就连,就是。表示提起另一件事。

译文:

　　子游问什么是孝。孔子说:"如今所谓的孝,只是就
能够养活父母而言。说到狗、马这些动物,都能被人饲
养;如果对父母没有敬顺的心意,用什么来区别孝顺与饲
养呢?"

2.8 子夏问孝。子曰:"色难①。有事,弟子服其劳;有酒食,先生馔②。曾是以为孝乎③?"

注释:

①色:指敬爱和悦的容色态度。

②先生:年长者。馔(zhuàn):吃喝。

③曾:乃,竟。

译文:

　　子夏问什么是孝。孔子说:"保持敬爱和悦的容态最难。遇有事情,年轻人替长者们效劳;遇有酒食,让给长者享用,仅仅这样就算是孝了吗?"

2.9 子曰:"吾与回言①,终日不违,如愚②。退而省其私③,亦足以发④。回也不愚。"

注释:

①回:即孔子弟子颜回。字子渊,鲁国人。在"四科十哲"中属"德行"(见 11.3 章),是孔子所喜爱的最聪慧最有修养的一个学生。参见 6.3、6.7、6.11 章。

②不违:不违拗。

③退:指散学回去。私:独处。这里指独自钻研和自我实践。

④发:发挥。即 5.9 章所说"闻一以知十"。

译文:

　　孔子说:"我给颜回讲学,他整天从不表示异议,像是一个愚笨的人。等回去之后,省察他的钻研和实践,又能发挥所学的内容,颜回并不愚笨啊。"

2.10　子曰:"视其所以①,观其所由②,察其所安③,人焉廋哉④? 人焉廋哉?"

注释:

①以:作为,行动。

②由:经由,经历。

③安:习。

④焉:怎样。廋(sōu):隐藏。

译文:

　　孔子说:"注意看他的所作所为,观察他的一贯经历,考察他的秉性习惯,一个人怎么能隐藏得住呢? 一个人怎么能隐藏得住呢?"

2.11　子曰:"温故而知新,可以为师矣。"

译文:

　　孔子说:"温习旧的知识,而能在其中获得新的体会,这样的人可以做老师了。"

2.12　子曰:"君子不器。"

译文:

　　孔子说:"君子不能像器皿一样只有单一的用途。"

2.13 子贡问君子。子曰："先行其言,而后从之。"

> **译文:**
> 　子贡问怎样才能算是君子。孔子说:"先实践所要说的话,然后再把话说出来。"

2.14 子曰："君子周而不比①,小人比而不周。"

> **注释:**
> ①周:合。比:齐同。
> **译文:**
> 　孔子说:"君子团结而不勾结,小人勾结而不团结。"

2.15 子曰："学而不思则罔①,思而不学则殆②。"

> **注释:**
> ①罔(wǎng):无知的样子。
> ②殆(dài):疑惑。
> **译文:**
> 　孔子说:"只是学习,却不思考,就会罔然无知。只是思考,却不学习,就会疑惑不解。"

2.16 子曰:"攻乎异端①,斯害也已②。"

注释:

①攻:从事某事,进行某项工作。异端:历来的注疏多释
　为错误的学说或危险思想,而与孔子本人的学说相对。
　实际上,汉以前的古书没有以"邪说"为"异端"的记载。
　另外,《论语》中"异"字凡八见("异端"一词除外),多数
　情况下可释为"不同的",因此此处的"异"作"不同的"
　解为佳。端,顶头,极。所以"异端"应该相当于"我叩
　其两端而竭焉"(见9.8章)中的"两端",也就是"过犹
　不及"(见11.16章)中的"过"与"不及"这两端。

②也已:语气词连用,表示肯定。

译文:

　　孔子说:"攻治两极的学说,这是一种祸害啊!"

2.17 子曰:"由①,诲女知之乎②? 知之为知
之,不知为不知,是知也③。"

注释:

①由:即仲由。孔子弟子,字子路,卞(在今山东)人。在
　"四科十哲"中属"政事"(见11.3章)。

②女:通"汝",第二人称代词,你。

③知:同"智"。

译文:

　　孔子说:"由,教导你的内容都知道了吧? 知道就是
知道,不知道就是不知道,这才是有智慧。"

2.18　　子张学干禄①。子曰:"多闻阙疑,慎言其余,则寡尤②;多见阙殆,慎行其余,则寡悔。言寡尤,行寡悔,禄在其中矣。"

注释:

①子张(公元前503-?):即颛(zhuān)孙师。孔子弟子,字子张。干禄:干,求;禄,官俸。

②尤:过失。

译文:

　　子张向孔子学习求仕的方法。孔子说:"多聆听,对于有疑问的地方保留不言,其余有把握的地方,谨慎地发表意见,这样就可以少犯错。多观察,对于有疑问的地方保留不言,其余有把握的地方,谨慎地采取行动,这样就可以少后悔。言语方面少犯错误,行动方面避免后悔,官职俸禄就在这里面了。"

2.19　　哀公问曰①:"何为则民服?"孔子对曰:"举直错诸枉②,则民服;举枉错诸直,则民不服。"

注释:

①哀公:鲁国的国君。姓姬,名蒋,公元前494-前466年在位。"哀"是谥号。

②错:放置。枉:邪曲不正。

译文:

　　鲁哀公问道:"怎么做才能使人民服从呢?"孔子回答

说:"选用正直的人,让他们居于邪曲之人的上位,这样百姓就会服从了。如果选用邪曲之人,让他们居于正直之人的上位,百姓就不会服从。"

2.20　季康子问①:"使民敬、忠以劝②,如之何?"子曰:"临之以庄则敬,孝慈则忠,举善而教不能则劝。"

注释:

①季康子:即季孙肥,鲁哀公时的正卿,是当时最有权力的政治人物。"康"是谥号。

②以:连词,和。劝:勤勉。

译文:

　　季康子问道:"要使人民敬顺、忠诚又勤勉,应该怎么做呢?"孔子说:"当政者对待百姓庄重,百姓就会敬顺;对待父母孝顺,百姓就会忠诚;提拔好人,教导能力不足之人,百姓就会勤勉。"

2.21　或谓孔子曰①:"子奚不为政②。"子曰:"《书》云:'孝乎惟孝,友于兄弟,施于有政③。'是亦为政,奚其为为政?"

注释:

①或:不定代词,有人。

②奚:疑问词,为何。

③"孝乎惟孝"三句:是《尚书》的佚文。施,延及。

译文:

　　有人对孔子说:"你为什么不从事政治?"孔子说:"《尚书》说:'孝敬父母,友爱兄弟,用这种风气去影响当政者。'这也是从事政治了,为什么一定要做官才算从事政治呢?"

2.22　子曰:"人而无信①,不知其可也。大车无輗②,小车无軏③,其何以行之哉?"

注释:

①而:若。

②輗(ní):车辕与驾辕的横木相衔接的活销。

③軏(yuè):车辕前端与车横衔接处的关键。

译文:

　　孔子说:"人如果没有信用,不知道那怎么可以。大车如果没有安装横木的輗,小车如果没有安装横木的軏,怎么能够行车呢?"

2.23　子张问:"十世可知也?"子曰:"殷因于夏礼①,所损益可知也;周因于殷礼,所损益可知也;其或继周者,虽百世可知也②。"

注释:

①因:承袭。

②虽：即使。

译文：

　　子张问道："今后十代的情况可以知道吗?"孔子说：
"殷代承袭夏代的礼仪制度,废除的和增加的是可以知道
的。周代承袭殷代的礼仪制度,废除的和增加的是可以
知道的。如果有继承周代统治的政权,即使有百代也是
可以知道的。"

2.24　子曰："非其鬼而祭之①,谄也。见义不
为,无勇也。"

注释：

①鬼：一般指死去的祖先而言。

译文：

　　孔子说："不是自己该祭祀的鬼神而去祭祀他,这是
谄媚的行为。遇见正义的事却袖手旁观,这是没有
胆量。"

八佾第三

本篇分为二十六章,其中 25 章是孔子的语录,1 章是仪封人对孔子的评价。

本篇各章内容多与礼、乐有关,比较集中地反映了孔子的礼乐思想。3.1、3.2、3.6、3.22 章反对鲁国齐国大夫僭用国君之礼。3.3 - 3.4 章论及礼的本质是仁德,是真实的情感,而不是礼仪乐律、铺张奢侈的形式。3.5 章陈述当时各国君主名存实亡的状况。3.8 章讲礼文与美质的关系。3.7、3.16 章谈射礼,3.10 - 3.13、3.17、3.21 章谈祭礼。3.9 章讲到夏商两代的古礼已失传,3.14 章讲周礼煌煌可观。3.15 章讲入太庙之礼,3.18 - 3.19 章讲事君尽礼。3.20 章讲音乐表达感情应当适度,3.23 章讲演奏音乐的程序,3.25 章评论音乐。

3.1　孔子谓季氏①:"八佾舞于庭②,是可忍也,孰不可忍也?"

注释:

①谓:说,用于评论人物。季氏:鲁国的大夫。具体所指,前人说法不一。杨伯峻《论语译注》中有所辨析,他说:"根据《左传》昭公二十五年的记载和《汉书·刘向传》,这季氏可能是指季平子,即季孙意如。据《韩诗外传》,似以为季康子,马融注则以为季桓子,恐皆不足信。"

②八佾(yì):古代乐舞的行列,一行八个人叫一佾。按照礼的规定,天子用八佾,即六十四人的舞蹈队伍;诸侯用六佾,四十八人;大夫用四佾,三十二人。季氏为大夫,只能用四佾的乐舞队伍,他用八佾,就是破坏礼制。

译文:

　　孔子谈到季氏,说:"他用天子规格的八行乐舞队伍在庭院中表演,如果这种僭礼的事情可以容忍的话,还有什么事情是不可容忍的呢?"

3.2　三家者以《雍》彻①。子曰:"'相维辟公,天子穆穆'②,奚取于三家之堂?"

注释:

①三家:鲁国当权的三卿:仲孙、叔孙、季孙。三家都是鲁桓公的后代,又称三桓。《雍》:或作"雝",《诗经·周颂》的一篇,是周天子祭祀宗庙后撤去祭品的乐歌。彻:通"撤",撤除。

②"相维辟公"两句：是《诗经·周颂·雍》中的诗句，恰好
点明了此诗是天子之歌。三家擅用天子之歌，是对礼
制的破坏。相（xiàng），助祭者。辟公，诸侯。

译文：

仲孙、叔孙、季孙三家祭祖结束时演奏天子之歌《雍》
诗来撤除祭品。孔子说："'助祭的是诸侯，天子肃穆地主
祭'，这歌辞哪一句适用于三家祭祖的厅堂呢？"

3.3　子曰："人而不仁，如礼何？人而不仁，如
乐何？"

译文：

孔子说："人如果不仁的话，怎么来对待礼呢？人如
果不仁的话，怎么来对待乐呢？"

3.4　林放问礼之本①。子曰："大哉问！礼，与
其奢也，宁俭；丧，与其易也②，宁戚。"

注释：

①林放：鲁人。

②易：弛，铺张。

译文：

林放问礼的本质。孔子说："你的问题意义重大呀！
就礼而言，与其奢侈，宁可俭省；就丧礼说，与其铺张，宁
可悲伤。"

3.5　子曰:"夷狄之有君^①,不如诸夏之亡
也^②。"

注释:

①夷狄:概指中国四周的少数部族国家。因为经济、文化
　相对于中原地区的国家落后,故向来有"华夷之辨"的
　区分。

②诸夏:中原夏族(华族)各国。亡:无。在《论语》中,
　"亡"字之后不带宾语,"无"字之后则带宾语。

译文:

　孔子说:"就连夷狄之国都有君主,不像中原各国,君
主已经名存实亡了。"

3.6　季氏旅于泰山^①。子谓冉有曰^②:"女弗能
救与^③?"对曰:"不能!"子曰:"呜呼! 曾谓泰山
不如林放乎^④?"

注释:

①旅:祭山。在当时,只有天子和诸侯才有祭祀名山大川
　的资格,季氏只是大夫,而要祭祀山岳,显然是僭礼的
　行为。

②冉有:孔子弟子。姓冉,名求,字子有。当时做季氏的
　家臣,对季氏的僭越行为不加制止,所以孔子责备他。

③救:阻止。

④曾谓泰山不如林放:按照古人的理解,山川之神有灵,

对于祭祀者、祭品能够做出要不要接受的选择。曾（zēng），竟。林放，从 3.4 章来看，孔子认为林放是懂得礼的人。

译文：

　　季氏将要祭祀泰山。孔子对冉有说："你不能阻止这种僭越的行为发生吗？"冉有回答说："不能。"孔子说："哎呀！你们竟然认为泰山还不如林放懂得礼，会接受这种不合规矩的祭祀吗？"

3.7　子曰："君子无所争，必也射乎①！揖让而升，下而饮，其争也君子。"

注释：

①射：射礼。起源于人们借田猎而进行的军事训练活动，进而发展成为以习射观德、求贤选能为目的的礼仪形式。

译文：

　　孔子说："君子没有可争夺的事情。如果有所争，一定是比赛射箭吧！不过在射箭的时候，要作揖辞让后才登上台阶，下台阶后又共同饮酒，这种竞赛活动不失君子风范。"

3.8　子夏问曰："'巧笑倩兮，美目盼兮，素以为绚兮①。'何谓也？"子曰："绘事后素②。"

　　曰："礼后乎？"子曰："起予者商也③，始可与言《诗》已矣！"

注释：

①"巧笑倩兮"三句：前两句见于《诗经·卫风·硕人》，第

三句是佚句。倩,面容姣好。盼,黑白分明。绚,有文采。

②绘事后素:绘画的工作在素地上进行。素地就是女子"巧笑倩兮,美目盼兮"的容貌,绘事则指粉黛、钗环、衣裳等修饰。有了美丽的容貌,再加以适当的修饰,就达到了锦上添花的效果。

③起:启发。

译文:

　　子夏问道:"'微笑的面容美好动人啊,美丽的眼睛黑白分明啊,洁白的底子上绘有文采啊。'这几句诗是什么意思?"孔子说:"先有素色的底子,然后绘画。"

　　子夏说:"那么礼是不是产生于美质之后呢?"孔子说:"启发我的是卜商啊!从此可以跟你谈论《诗经》了。"

3.9　子曰:"夏礼,吾能言之,杞不足征也①;殷礼,吾能言之,宋不足征也②。文献不足故也③,足,则吾能征之矣。"

注释:

①杞(qǐ):国名,夏禹的后代所建,故城在今河南杞县。

②宋:国名,商汤的后代所建,故城在今河南商丘南。

③文献:文指典籍;献指贤才,即通晓历史掌故的人。

译文:

　　孔子说:"夏代的礼,我能说得出,它的后代杞国不足以为证;殷代的礼,我能说得出,它的后代宋国不足以为证。这是因为两国的文籍和贤才不够用的缘故,如果够用,那么我就能引以为证了。"

3.10　子曰:"禘①,自既灌而往者②,吾不欲观之矣。"

注释:

①禘(dì):祭名,指王者禘其祖所自出。此礼属大祭,只有天子才能举行。而这里鲁国的国君僭用禘礼,所以孔子不想看。

②灌:本作"祼(guàn)",祼祭,祭祀中的一个程序。用活人(一般为幼年男女)代替受祭者,叫做"尸"。禘祭要向尸献酒九次,第一次献酒叫作祼。

译文:

　　孔子说:"禘祭的礼仪,从第一次献酒以后,我就不想看了。"

3.11　或问禘之说。子曰:"不知也。知其说者之于天下也,其如示诸斯乎①!"指其掌。

注释:

①示:显示,展示。

译文:

　　有人向孔子询问禘祭的理论。孔子说:"我不知道。知道的人对于了解天下事来说,就像把它们展现在这里一样清楚吧!"一面说,一面指着自己的手掌。

3.12 祭如在①,祭神如神在。子曰:"吾不与祭②,如不祭。"

注释:

①"祭如在"一句所祭祀的对象应该是"鬼"(死去的祖先),以与下句"祭神如神在"相对举。

②与:参与。

译文:

祭祀祖先的时候就好像祖先在跟前一样,祭祀神的时候就好像神在跟前一样。孔子说:"我如果不能亲自参加祭祀,就好像不曾祭祀一样。"

3.13 王孙贾问曰①:"'与其媚于奥②,宁媚于灶③',何谓也?"子曰:"不然,获罪于天,无所祷也。"

注释:

①王孙贾:卫灵公的大臣,14.19 章中有:"王孙贾治军旅"。

②奥:屋内的西南角叫做奥,为室内最尊贵的处所。

③灶:灶神。祭灶神为五祀(户、灶、中霤、门、行)之一。

译文:

王孙贾问道:"'与其献媚于屋内西南角的神,不如献媚于灶神',这话是什么意思?"孔子说:"不对。若是得罪了上天,祈祷也没有用了。"

3.14　子曰:"周监于二代^①,郁郁乎文哉! 吾从周。"

注释:

①监:通"鉴",借鉴。二代:夏、商二代。

译文:

孔子说:"周代的礼仪制度借鉴于夏、商两代,多么丰富而有文采呀! 我赞同周代的。"

3.15　子入太庙^①,每事问。或曰:"孰谓鄹人之子知礼乎^②? 入太庙,每事问。"子闻之曰:"是礼也。"

注释:

①太庙:古代开国之君叫太祖,太祖之庙叫太庙。周公旦是鲁国的始封之君,鲁国的太庙就是周公的庙。

②鄹(zōu):地名,又作陬,是孔子的出生地。《史记·孔子世家》:"孔子生鲁昌平乡陬邑。"据说故地在今山东曲阜县东南十里的西邹集。鄹人,指孔子的父亲叔梁纥。叔梁纥曾经做过鄹邑的大夫,古代经常把某地的大夫称为某人,如《左传》襄公十年称"陬人纥"。

译文:

孔子进入太庙,每件事都要问一问。有人说:"谁说鄹人叔梁纥的儿子懂得礼呢? 到了太庙,每件事都要问一问。"孔子听到后,说:"这是礼节啊。"

3.16 子曰:"射不主皮^①,为力不同科^②,古之道也。"

注释:

①射不主皮:不专以是否射中箭靶子的中心为善。射礼所要考察的除了射箭的技能高低之外,更重视射箭时的容体是否合于礼,动作节奏是否合于乐。皮,指箭靶子。箭靶子叫侯,有用皮做的,有用布做的。侯的中心即射箭的目标叫正,或叫鹄(gǔ)。

②为:因为。同科:同等。

译文:

孔子说:"射礼的比赛不只重视射中箭靶子的中心,因为每个人的力气大小不相同,这是古老的规则。"

3.17 子贡欲去告朔之饩羊^①。子曰:"赐也,尔爱其羊,我爱其礼。"

注释:

①告朔:每个月的第一天即"朔"日。告朔是古代的一种制度。每年秋冬之交,天子把第二年的历书颁布给诸侯,历书中说明那一年有无闰月,每月的初一是哪一天,这个过程称为"颁告朔"。诸侯接受历书后藏于祖庙,每逢初一日,以一只羊为牺牲祭于祖庙,这个过程称为"告朔"。饩(xì)羊:活羊,作为牺牲的活物称为"饩"。在子贡的时代,鲁君已经不再亲临祖庙举行告朔之祭了,只是保留了杀死一只活羊作为牺牲的形式。

为此子贡认为不必保留此形式。孔子却认为，尽管这是残存的形式，保留下来总比什么也不剩为好。

译文：

　　子贡想免去每月初一告祭祖庙用作牺牲的一只活羊。孔子说："赐呀！你可怜那羊，我舍不得那礼。"

3.18　子曰："事君尽礼，人以为谄也。"

译文：

　　孔子说："侍奉君主尽到礼数，别人却以为是在谄媚呢。"

3.19　定公问①："君使臣，臣事君，如之何？"孔子对曰："君使臣以礼，臣事君以忠。"

注释：

①定公：鲁国的国君。姓姬，名宋，公元前 509－前 495 年在位。"定"是谥号。

译文：

　　鲁定公问道："君主使用臣子，臣子侍奉君主，各自应该怎么做？"孔子回答道："君主应该按照礼的规定使用臣子，臣子应该忠心地侍奉君主。"

3.20　子曰："《关雎》乐而不淫①,哀而不伤。"

注释:

①《关雎》:《诗经》的第一篇,这里指乐章而言。古诗都是
　配乐的,有诗辞也有乐章。淫:过分而失当。

译文:

　孔子说:"《关雎》这一乐章,欢乐而不过分,悲哀而不
伤情。"

3.21　哀公问社于宰我①。宰我对曰:"夏后氏
以松,殷人以柏,周人以栗,曰使民战栗。"子闻
之曰:"成事不说,遂事不谏,既往不咎。"

注释:

①社:土神,是国家的象征。这里指社主。古代在祭祀土
　神时要立一个木制的牌位,称之为"主"。此章所问就
　是制作牌位所用的木质的问题。宰我:孔子弟子。姓
　宰,名予,字子我。在"四科十哲"中属"言语"科(见
　11.3章)。

译文:

　鲁哀公向宰我询问社主所用木质的问题。宰我回答
说:"夏代用松木,殷代用柏木,周代用栗木,意思是使人
民战栗害怕。"孔子听到后,说:"完成的事情不再劝说了,
终了的事情不再谏阻了,已经过去的事情不再追究了。"

3.22 子曰:"管仲之器小哉^①!"

或曰:"管仲俭乎?"曰:"管氏有三归^②,官事不摄^③,焉得俭?"

"然则管仲知礼乎?"曰:"邦君树塞门^④,管氏亦树塞门;邦君为两君之好,有反坫^⑤,管氏亦有反坫。管氏而知礼^⑥,孰不知礼?"

注释:

①管仲:春秋时齐国人,名夷吾,曾做齐桓公的相,使齐国称霸诸侯。事详见《史记·管晏列传》。《论语》中多次提到管仲,孔子对他既有肯定,又有否定,从大处而言还是赞扬的。

②三归:市租。根据《管子·山至数》的记载,市租按常例应该由国君收取。齐桓公称霸后,对于管仲恩赏有加,就将收取市租的权利给了他。

③摄:兼职。管仲为相国,有俸禄,又收取市租,等于有兼职。

④树塞门:树,门屏风,立在门前或门内用来遮蔽内外的短墙,犹如后世的照壁(影壁)。这里用作动词,即树立门屏风。塞,遮蔽。

⑤反坫(diàn):坫,用以放置器物的设施,用土筑成,形似土堆,建于两楹之间。献酬饮之后,将酒杯放回坫上,即反坫。

⑥而:假设连词,假如。

译文:

孔子说:"管仲的器量太小啦。"

有人问道:"管仲有约束吗?"孔子说:"管仲有权收取市租,做官的人不应该兼职,怎么算得上有约束呢?"

又问:"那么管仲懂得礼节吗?"孔子说:"国君殿门前

立了一个照壁,管仲也立了照壁。国君设宴招待外国的君主,在堂上设有用于献酬后回放酒杯的台子,管仲也有这种台子。管仲如果算是知礼的,还有谁不懂得礼节呢?"

3.23　子语鲁大师乐①,曰:"乐其可知也:始作,翕如也②;从之③,纯如也④,皦如也⑤,绎如也⑥,以成。"

注释:

①语(yù):告诉。大(tài)师:乐官之长。

②翕(xī):盛。如:形容词语尾,用法同"然"。

③从:通"纵"。

④纯:和谐。

⑤皦(jiǎo):明晰。

⑥绎(yì):连绵不断。

译文:

　　孔子告诉鲁国太师演奏音乐的奥妙,说道:"音乐,那是可以通晓的:开始演奏,繁盛热烈;展开以后,纯一和谐,皦然清晰,绎绎不绝,然后完成。"

3.24　仪封人请见①,曰:"君子之至于斯也,吾未尝不得见也。"从者见之。出,曰:"二三子何患于丧乎? 天下之无道也久矣,天将以夫子为木铎②。"

注释：

①仪：地名。封人：边界守官。

②木铎（duó）：铜制木舌的铃铛。古代颁布政令时要摇木
铎，召集大家来听。

译文：

　　仪地的边界守官请求拜见孔子，说道："所有到过此
地的君子，我从来没有不得拜见的。"孔子的随从弟子让
他拜见了孔子。他见后出来说："诸位为什么要为失掉官
位而忧虑呢？天下无道的状况已经持续很久了，上天将
要起用先生，借他来澄清政治，号令百姓。"

3.25　子谓《韶》①："尽美矣，又尽善也。"谓
《武》②："尽美矣，未尽善也。"

注释：

①《韶》：舜时的乐曲名。孔子对于《韶》乐赞美至极，参见
7.14 章。

②《武》：周武王时的乐曲名。周武王发动战争讨伐商纣
王获得帝位，虽然是正义之战，但毕竟使用了武力，所
以不能称"善"。

译文：

　　孔子评价《韶》乐，说："美极了，也好极了。"评价《武》
乐，说："美极了，却还不够好。"

3.26　子曰："居上不宽①，为礼不敬，临丧不
哀②，吾何以观之哉？"

注释：

①宽：宽厚，指行德政。

②临丧：哭丧，吊丧。

译文：

　　孔子说："居上位而不宽厚，行礼时而不严肃，吊丧时而不悲哀，这种样子我怎么看得下去呢？"

里仁第四

　　本篇分为二十六章,包括孔子语录 25 章(其中 1 章含曾子的解说),子游 1 章。

　　本篇各章大多论及道德修养的问题,包括仁、义、利、礼、孝、言、行、事君、交友等内容。4.1 - 4.7 章论仁,指出有仁德的人爱憎分明,结交善友,安贫乐道,尽力有为。4.8 章讲闻道之于人生的重要。4.9 章讲致力于追求真理的人不应畏惧贫困。4.10 章论义,指出义是人一切行为的依据。4.11、4.16 章讲君子与小人的区别。4.12 章讲仅追求实利的人怨恨多。4.13 章讲应以礼让治国。4.14 章讲要有立身的本领。4.15 章讲可终身实践的忠恕之道。4.17 章讲以贤者为模范,不贤者为警戒。4.18 - 4.21 章讲孝事父母的做法。4.22、4.24 章讲要言行一致。4.23 章讲要约束自己。4.25 章讲有道德的人必有善友。4.26 章讲事君待友要遵守礼数,不可过度。

4.1　子曰:"里仁为美①,择不处仁,焉得知②?"

注释:

①里:居处。

②知:通"智"。

译文:

　　孔子说:"居住在仁德之地为好。选择住处而不居住在仁德之处,怎么能算是聪明呢?"

4.2　子曰:"不仁者,不可以久处约①,不可以长处乐。仁者安仁,知者利仁。"

注释:

①约:贫困。

译文:

　　孔子说:"没有仁德的人,不可以长久地处于贫困的境地,也不可以长久地处于安乐的境地。有仁德的人安于仁,聪明的人从仁中获利。"

4.3　子曰:"唯仁者能好人①,能恶人②。"

注释:

①好(hào):喜爱。

②恶(wù):厌恶。

译文：

孔子说："只有有仁德的人才能够正确喜爱人，或厌恶人。"

4.4　子曰："苟志于仁矣，无恶也①。"

注释：

①恶（è）：邪恶。

译文：

孔子说："假如立志于修行仁德，就不会再有邪恶了。"

4.5　子曰："富与贵，是人之所欲也；不以其道得之，不处也。贫与贱，是人之所恶也①；不以其道得之，不去也。君子去仁，恶乎成名②？君子无终食之间违仁，造次必于是③，颠沛必于是④。"

注释：

①恶（wù）：厌恶。

②恶（wū）乎：于何处。

③造次：仓促，急遽。

④颠沛：倾覆，仆倒。引申为形容人事困顿、社会动乱。

译文：

孔子说："富有和尊贵，是人们所期望的；不用正当的方法获得它，君子不居有。贫穷和低贱，是人们所厌恶的;不用正当的方法抛弃它,君子不摆脱。君子离开了仁德,怎样还能成就自己的名声呢?君子不会在哪怕是一顿饭那么短的时间里远离仁德,紧急的时候也一定遵循仁德,困顿的时候也一定遵循仁德。"

4.6　子曰:"我未见好仁者、恶不仁者。好仁者,无以尚之①;恶不仁者,其为仁矣,不使不仁者加乎其身。有能一日用其力于仁矣乎?我未见力不足者。盖有之矣②,我未之见也。"

注释:
①尚:超过。
②盖:大概。

译文:
　　孔子说:"我没有见过喜好仁德的人和厌恶不仁的人。喜好仁德的人,没有比这更好的了;厌恶不仁的人,他修行仁德的时候,不让不仁的东西出现在自己身上。有谁能够在一天之内尽力修行仁德呢?我没有见过这种人力量会不够的。也许有这样的人吧,我不曾见过罢了。"

4.7　子曰:"人之过也,各于其党①。观过,斯知仁矣②。"

注释:
①党:类。

②仁:通"人"。

译文:

　　孔子说:"人的过错,各属于一定的类型。观察一个人所犯的过错,便可以知道他是什么人了。"

4.8　子曰:"朝闻道,夕死可矣。"

译文:

　　孔子说:"早晨领悟了真理,晚上死去都可以。"

4.9　子曰:"士志于道,而耻恶衣恶食者,未足与议也①。"

注释:

①议:谋划。

译文:

　　孔子说:"士人立志追求真理,但又以自己穿破衣服、吃粗粮为羞耻的话,这样的人不值得跟他共谋大事。"

4.10　子曰:"君子之于天下也,无适也①,无莫也②,义之与比③。"

注释:

①适:可以。

②莫：不可。

③比：依靠。

译文：

　　孔子说："君子对于天下的事，没有必须怎样的想法，也没有必不能怎样的想法，一切都按照义的规定为依据。"

　　4.11　子曰："君子怀德，小人怀土；君子怀刑，小人怀惠①。"

注释：

①惠：实惠。

译文：

　　孔子说："君子关心的是道德，小人关心的是土地；君子关心的是法度，小人关心的是好处。"

　　4.12　子曰："放于利而行①，多怨。"

注释：

①放（fǎng）：依据。

译文：

　　孔子说："依据实利来行事，会产生很多怨恨。"

4.13　子曰："能以礼让为国乎？何有①！不能以礼让为国，如礼何！"

> **注释：**
> ①何有：有什么困难的。
> **译文：**
> 　　孔子说："能够用礼让来治理国家吗？这有什么困难的。不能用礼让来治理国家，又怎样来对待礼仪呢？"

4.14　子曰："不患无位，患所以立①；不患莫己知，求为可知也②。"

> **注释：**
> ①所以立：可以立身的本领。
> ②为可知：能够被别人所知道的本领。
> **译文：**
> 　　孔子说："不担心自己没有职位，担心自己没有可以立身的本领；不担心没有人了解自己，担心自己不具备让人知晓的本领。"

4.15　子曰："参乎！吾道一以贯之①。"曾子曰："唯。"

　　子出。门人问曰："何谓也？"曾子曰："夫子之道，忠恕而已矣②！"

①贯：统贯。

②忠：相当于6.30章的"己欲立而立人，己欲达而达人"，
即真心诚意地为别人着想和做有利于别人的事。恕：
相当于15.24章的"其'恕'乎！己所不欲，勿施于人"，
就是不要让有害的事发生在别人身上。

译文：

孔子说："参呀，我的学说有一个中心思想贯穿其
中。"曾子说："是。"

孔子出去之后，学生们问曾子说："这话是什么意
思？"曾子说："先生的学说，忠、恕两个字罢了。"

4.16 子曰："君子喻于义^①，小人喻于利。"

注释：

①喻：知道，明白。

译文：

孔子说："君子懂得的是义，小人晓得的是利。"

4.17 子曰："见贤思齐焉，见不贤而内自省也。"

译文：

孔子说："见到贤人就想要和他看齐，见到不贤的人
就反省自己是不是也有类似的问题。"

4.18 子曰："事父母几谏^①。见志不从，又敬

不违,劳而不怨②。"

注释:

①几(jī):稍微。

②劳:忧愁。

译文:

　　孔子说:"侍奉父母,对他们的过错稍加规劝。看到自己的规劝没有被听从,仍要恭顺他们,不加违抗,担忧他们但不怨恨。"

4.19　子曰:"父母在,不远游①,游必有方②。"

注释:

①游:游历,外出求学或求官。

②方:去向。

译文:

　　孔子说:"父母在世,不去远方游历。如果要去外出游历,一定要有去向。"

4.20　子曰:"三年无改于父之道,可谓孝矣。"①

注释:

①本章文字已见于1.11章。

译文:

　　孔子曰:"多年不改变父亲传下来的正道的话,就可以说是尽孝了。"

4.21　子曰:"父母之年,不可不知也;一则以喜,一则以惧。"

译文:

孔子说:"父母亲的年龄不可以不记在心里。一方面因为他们高寿而高兴,一方面因为他们年事已高而忧惧。"

4.22　子曰:"古者言之不出,耻躬之不逮也①。"

注释:

①躬:自身。逮(dài):及,达到。

译文:

孔子说:"古时候,言语不轻易说出口,是怕自己的行动跟不上而感到羞耻。"

4.23　子曰:"以约失之者①,鲜矣!"

注释:

①约:约束。

译文:

孔子说:"因为对自己有所约束而发生过失的,是很少见的。"

4.24　子曰:"君子欲讷于言①,而敏于行。"

注释：

①讷（nè）：言语迟钝。

译文：

　　孔子说："君子言语上要谨慎迟钝，行动上要勤快敏捷。"

4.25　子曰："德不孤，必有邻。"

译文：

　　孔子说："有道德的人不会孤单，一定会有志同道合者和他做伴。"

4.26　子游曰："事君数①，斯辱矣；朋友数，斯疏矣。"

注释：

①数（shuò）：频繁。

译文：

　　子游说："侍奉君主频繁无度，就会招致侮辱；与朋友交往过于频繁，就会遭到疏远。"

公冶长第五

本篇分二十八章。

内容以评论人物为主。包括孔门弟了,如公冶长、南宫适、宓子贱、子贡、冉雍、漆雕开、子路、冉求、公西赤、颜回、宰予、申枨等 12 人;同时代的政治人物,如孔文子、子产、晏婴、臧文仲、令尹子文、季文子、宁武子等 7 人,遍及卫国、郑国、齐国、鲁国、楚国;其他历史人物,如伯夷、叔齐、微生高、左丘明等 4 人。论及人物的修养水平、处世风格、政治才能、学习能力、性格特征等方面。5.12 章介绍孔子学问的内容。5.22 章涉及孔子在陈国游历的经历。5.26 章反映孔子和弟子们的政治理想。5.27 章指出人应勇于作自我批评。5.28 章强调要好学。

5.1　子谓公冶长^①:"可妻也^②。虽在缧绁之中^③,非其罪也。"以其子妻之^④。

注释:

①公冶长:孔子弟子。姓公冶,名芝,字子长。

②妻(qì):嫁与为妻。

③缧绁(léixiè):捆绑犯人的绳子。

④子:古时儿子女儿都称为子,这里指女儿。

译文:

孔子评价公冶长,说:"可以把女儿嫁给他。他虽然曾被关在监狱中,但不是他的过错。"把自己的女儿嫁给了公冶长。

5.2　子谓南容^①:"邦有道,不废;邦无道,免于刑戮^②。"以其兄之子妻之。

注释:

①南容:孔子弟子。姓南宫,名适(kuò),字子容。

②刑戮(lù):刑罚。

译文:

孔子评价南容,说:"国家政道清明,总有官做,不会被弃用;国家政治混乱,能够免遭刑罚。"把兄长的女儿嫁给了南容。

5.3　子谓子贱^①:"君子哉若人^②!鲁无君子

者,斯焉取斯?"

译文:

    孔子评价宓子贱,说:"这个人是君子。如果鲁国没有君子的话,他从哪里学得这样的好品德呢?"

5.4　子贡问曰:"赐也何如?"子曰:"女①,器也。"曰:"何器也?"曰:"瑚琏也②。"

译文:

    子贡问道:"我是怎样的人?"孔子说:"你就好比是一个器皿。"子贡说:"是什么器皿呢?"孔子说:"宗庙祭祀时用来盛粮食的瑚琏。"

5.5　或曰:"雍也仁而不佞①。"子曰:"焉用佞?御人以口给②,屡憎于人。不知其仁③,焉用佞?"

注释:

①雍:孔子弟子。姓冉,名雍,字仲弓。在"四科十哲"中
　属"德行"(11.3)。佞(nìng):能言善辩,口才好。

②口给(jǐ):口齿伶俐,有辩才。给,丰足。

③不知其仁:即不仁的委婉说法。

译文:

　　有人说:"冉雍这个人有仁德,却没有口才。"孔子说:
"为什么要有口才呢?靠能言善辩来对付别人,常常会受
到别人的厌恶。我不知道他是否称得上仁,但为什么要
有口才呢?"

5.6　子使漆雕开仕①。对曰:"吾斯之未能
信。"子说。

注释:

①漆雕开:孔子弟子。姓漆雕,名开,字子开。

译文:

　　孔子让漆雕开去做官。漆雕开回答说:"我对此事还
未能树立起信心。"孔子听了很高兴。

5.7　子曰:"道不行,乘桴浮于海①。从我者,
其由与?"子路闻之喜。子曰:"由也,好勇过我,
无所取材②。"

①桴(fú):用竹或木编成的小筏子。

②取材:选取,裁度。材,通"裁",裁度事理。

译文:

　　孔子说:"如果我的主张行不通,就乘坐小木筏在海上漂流。跟从我的人,大概是仲由吧?"子路听说后,很高兴。孔子说:"仲由这个人的勇敢大大超过了我,这没有什么选择区分。"

5.8　孟武伯问子路仁乎?子曰:"不知也。"又问。子曰:"由也,千乘之国,可使治其赋也①。不知其仁也。"

　　"求也何如?"子曰:"求也,千室之邑②,百乘之家③,可使为之宰也④。不知其仁也。"

　　"赤也何如⑤?"子曰:"赤也,束带立于朝⑥,可使与宾客言也。不知其仁也。"

注释:

①赋:兵赋,包括兵员和装备。

②邑:古代居民聚居地的通称,小的只有十家,大的可有上万家。这里的千家之邑,也可算得上是大邑了。

③家:大夫的封地采邑。

④宰:地方最高长官,这里指总管。

⑤赤:孔子弟子。姓公西,名赤,字子华。

⑥束带:整束衣带。古人平时缓带,低在腰间;在郑重的场合才束带,高在胸部。这里指上朝做官,因此需要束带。

译文：

　　孟武伯向孔子问子路算不算有仁德？孔子说："不知道。"又问了一遍。孔子说："仲由嘛，拥有一千辆兵车的国家，可以让他来掌管军事，不知道他算不算有仁德。"

　　又问："冉求怎么样？"孔子说："冉求嘛，千户居民的大邑，拥有百辆兵车的采邑，可以让他来做邑长，不知道他算不算有仁德。"

　　又问："公西赤怎么样？"孔子说："公西赤嘛，穿着整齐的礼服在朝廷之上，可让他用外交辞令接待宾客，不知道他算不算有仁德。"

5.9　子谓子贡曰："女与回也孰愈^①？"对曰："赐也何敢望回^②？回也闻一以知十，赐也闻一以知二。"子曰："弗如也！吾与女弗如也^③。"

注释：

①女：通"汝"。愈：较好，胜过。
②望：比。
③与：同意，赞同。

译文：

　　孔子对子贡说："你跟颜回两个人，谁强一些呢？"子贡回答说："我呀，怎么敢跟颜回比呢？颜回，听到一件事能推知十件事；我呢，听到一件事只能推知两件事。"孔子说："不如他啊！我同意你的看法，不如他啊！"

5.10　宰予昼寝。子曰："朽木不可雕也，粪土之墙不可杇也^①，于予与何诛^②？"子曰："始吾于人也，听其言而信其行；今吾于人也，听其言而观其行。于予与改是。"

注释：

①杇(wū)：建筑时用来抹墙的工具。这里用作动词，指抹平，修饰墙面。

②诛：谴责。

译文：

　　宰予大白天睡觉。孔子说："腐朽的木头经不起雕琢，粪土的墙壁无法粉刷，对于宰予嘛，有什么可责怪的呢？"又说："最初，我对别人，听了他的话就会相信他的行为；如今，我对别人，听到他的话还要考察他的行为。由于宰予，我改变了态度。"

5.11　子曰："吾未见刚者！"或对曰："申枨^①。"子曰："枨也欲^②，焉得刚？"

注释：

①申枨(chéng)：字周，孔子弟子。

②欲：贪欲。

译文：

　　孔子说："我没见过刚毅不屈的人。"有人回答说："申枨就是这样的人。"孔子说："申枨啊，有贪欲，哪里能够刚毅不屈呢？"

5.12　子贡曰:"我不欲人之加诸我也,吾亦欲无加诸人。"子曰:"赐也,非尔所及也①。"

注释:

①非尔所及:不是你能做到的。参看 15.24,孔子正是拿"己所不欲,勿施于人"的原则教导子贡的,可见这还不是子贡已经达到了的境界。

译文:

　　子贡说:"我不希望别人强加给我的事,我也希望不要强加给别人。"孔子说:"赐啊,这不是你所能做到的。"

5.13　子贡曰:"夫子之文章①,可得而闻也;夫子之言性与天道②,不可得而闻也。"

注释:

①文章:文献典籍。孔子是《诗》《书》《礼》《乐》《易》《春秋》等六经的整理者与传播者。

②性:性命,即命运。天道:古时所说的天道,一般是指自然和人类社会吉凶祸福的关系。

译文:

　　子贡说:"先生关于文献典籍的学问,可以听得到;先生关于命运和天道的言论,我们听不到。"

5.14　子路有闻,未之能行,唯恐有闻①。

注释：

①有：通"又"。这里反映了子路重视实践和急于实践的学习态度。参见12.12。

译文：

　　子路有所闻，还没有来得及付诸实践的话，就唯恐又有所闻。

5.15　子贡问曰："孔文子何以谓之'文'也①?"子曰："敏而好学②，不耻下问，是以谓之'文'也。"

注释：

①孔文子：卫国大夫。姓孔，名圉(yǔ)。"文"是谥号。

②敏：勤勉。

译文：

　　子贡问道："孔文子为什么要给他'文'的谥号呢?"孔子说："勤勉好学，不以向下请教为耻，因此给他'文'的谥号。"

5.16　子谓子产①："有君子之道四焉：其行己也恭②，其事上也敬，其养民也惠，其使民也义。"

注释：

①子产：春秋时郑国大夫。姓公孙，名侨，字子产。在郑简公、郑定公时执政二十二年，使郑国虽处于晋国、楚国争霸的夹缝中，仍然获得了应有的生存空间，堪称杰

出的政治家和外交家。他提出的治国措施主要有三项：一是整顿等级制与井田制，限制土地兼并。二是恢复井田按丘出军赋的旧法，保障军费的来源。三是在鼎上铸刑书，整顿社会秩序。《论语》中孔子评论子产的有三处，除此之外，另见 14.8、14.9 章，都是褒扬之词。

②行己：自我修养。

译文：

　　孔子评价子产，说："他具备君子之道的地方有四点：他自我修养严肃认真，他侍奉君上恭敬谨慎，他教养人民多用恩惠，他役使使用百姓合乎道义。"

5.17　子曰："晏平仲善与人交①，久而敬之②。"

注释：

①晏平仲：春秋时齐国大夫。姓晏，名婴，字仲，谥平。齐灵公、齐庄公、齐景公时执政。事见《晏子春秋》、《史记·管晏列传》。

②之：指晏婴自己。这里用久而受人尊敬的效果说明晏婴之善交。

译文：

　　孔子说："晏平仲善于跟别人交朋友，交往越久，别人越尊敬他。"

5.18　子曰："臧文仲居蔡①，山节藻棁②，何如其知也③？"

注释:

①臧文仲:即鲁国大夫臧孙辰(? -公元前617),"文"是
谥号。历仕庄、闵、僖、文四朝。蔡:大龟。古时占卜用
龟甲,故养龟于室,以备使用。

②山:雕刻为山。节:柱上的斗拱。藻:画藻(水草)作为
装饰。棁(zhuō):梁上短柱。根据古礼,"山节藻棁"是
天子之庙的装饰;而臧文仲滥用,可见不知礼数。

③"何如"句:用疑问的语气表示否定。知,"智"的古
体字。

译文:

　　孔子说:"臧文仲造了间房子给大龟住,柱子上的斗
拱雕成山形,梁上的短柱画着藻纹。他的聪明怎么
样呢?"

5.19　子张问曰:"令尹子文三仕为令尹①,无
喜色;三已之②,无愠色。旧令尹之政,必以告
新令尹。何如?"子曰:"忠矣。"曰:"仁矣乎?"
曰:"未知,焉得仁?"

　　"崔子弑齐君③,陈文子有马十乘④,弃而违
之⑤。至于他邦,则曰:'犹吾大夫崔子也。'违
之。之一邦,则又曰:'犹吾大夫崔子也。'违之。
何如?"子曰:"清矣。"曰:"仁矣乎?"曰:"未知,
焉得仁?"

注释：

①令尹：楚国的宰相叫令尹。子文：姓鬬，名穀於菟（gòu wūtú），字子文。曾任楚国的令尹。

②已：罢免。

③崔子：齐国的大夫崔杼（zhù）。弑（shì）：古代把地位在下的人杀了地位在上的人叫做"弑"。齐君：即齐庄公。姓姜，名光。"崔子弑齐君"的事见《左传·襄公二十五年》。

④陈文子：齐国的大夫。名须无。乘（shèng）：古时四匹马驾一辆车，故四匹马称为一乘。十乘代表有财富。这里陈文子舍弃自己的财产逃离齐国，表明了他与弑君之人决裂的立场。

⑤违：离开。

译文：

　　子张问道："令尹子文三次就任令尹的职务，没有高兴的颜色；三次被罢免，没有怨怒的颜色。把自己任令尹时的施政之道毫无保留地告诉新到任的令尹。这人怎么样？"孔子说："可以说是忠诚了。"子张说："达到仁了吗？"孔子说："不晓得，怎么能算得上仁呢？"

　　子张又问："崔杼犯上杀掉齐庄公，陈文子有马四十匹，毅然舍弃离开齐国。到了别的国家，一看便说：'这里的执政者和我国的大夫崔子是一样的啊！'于是离开所到之国。到了另一个国家，一看又说：'这里的执政者跟我国的大夫崔子是一样的啊！'于是又离开所到之国。这人怎么样？"孔子说："可以说是清白的了。"子张说："达到仁了吗？"孔子说："不晓得，怎么能算得上仁呢？"

5.20　季文子三思而后行^①。子闻之，曰：
"再^②，斯可矣。"

注释：

①季文子：鲁国大夫季孙行父，"文"是谥号。历仕鲁文
　公、宣公、成公、襄公，行事谨慎多虑。

②再：两次。

译文：

　　季文子遇事思考多次才行动。孔子听说这种情况，
说："思考两次，就可以了。"

5.21　子曰："宁武子，邦有道，则知^①；邦无道，
则愚。其知可及也，其愚不可及也。"

注释：

①宁武子：卫国大夫。姓宁，名俞，"武"是谥号。仕卫成
公。知："智"的古体字。

译文：

　　孔子说："宁武子在国家政治清明的时候就聪明；在
国家政治混乱的时候就装傻。他的聪明是可以达到的；
他的装傻，别人是做不到的。"

5.22　子在陈^①，曰："归与！归与！吾党之小
子狂简^②，斐然成章^③，不知所以裁之^④！"

注释:

①陈:国名。妫(guī)姓,舜的后代,周武王灭商后所封。建都宛丘(今河南睢县),拥有今河南开封以东、安徽亳县以北一带地方。公元前 478 年为楚国所灭。孔子周游列国,曾困于陈、蔡之间。

②狂:狂傲。简:大,这里指志向远大。

③斐然:有文采的样子。章:花纹有条理。

④裁:节制。

译文:

孔子在陈国,说:"回去吧!回去吧!我的这些学生狂傲不羁,志向高远,文采已经很具备了,可是还不懂得怎样来约束自身。"

5.23　子曰:"伯夷、叔齐不念旧恶①,怨是用希②。"

注释:

①伯夷、叔齐:商代孤竹君的两个儿子。父亲去世后,两人互相让位,皆不就。出走到周文王处。周武王起兵伐纣,两人反对"以暴易暴",曾拦住马车劝阻。周灭商后,二人不吃周粟,饿死在首阳山。

②是用:是以,因此。希:少。

译文:

孔子说:"伯夷、叔齐不记旧仇,怨恨因此很少。"

5.24　子曰:"孰谓微生高直①?或乞醯焉②,乞诸其邻而与之。"

①微生高：即尾生高，相传是一个守信用的人。与一女子
　相约于桥下，女子未来，他一直等候，以至于水涨后被
　淹死。见《庄子·盗跖》、《战国策·燕策》。

②醯(xī)：醋。

译文：

　　孔子说："谁说微生高这个人直爽？有人向他借醋，
他不直说没有，而是向他的邻居借来给人家。"

5.25　子曰："巧言、令色、足恭①，左丘明耻
之②，丘亦耻之。匿怨而友其人③，左丘明耻之，
丘亦耻之。"

注释：

①足恭：十足地恭敬。这里指过分恭敬而无所节制。

②左丘明：相传是《左传》的作者。此说不可信。

③匿怨：暗地里怨恨。

译文：

　　孔子说："花言巧语、容貌伪善、十足地恭敬，左丘明
认为这样很可耻，我也认为这样很可耻。心里面怨恨别
人，表面上还与人做朋友，左丘明认为这样很可耻，我也
认为这样很可耻。"

5.26　颜渊、季路侍①。子曰："盍各言尔志②？"
　　子路曰："愿车马衣裘，与朋友共，敝之而

无憾。"

颜渊曰："愿无伐善③,无施劳④。"

子路曰："愿闻子之志!"

子曰："老者安之,朋友信之,少者怀之。"

注释:

①侍:站在身边侍奉。

②盍(hé):何不。尔:第二人称代词,你,你们。

③伐善:夸耀好处。

④施劳:表白功劳。

译文:

孔子坐着,颜渊、季路站在孔子身边侍奉。孔子说:"何不各自说说你们的志向。"

子路说:"希望把自己的车马衣裘与朋友共享,即使用坏了也不感到遗憾。"

颜渊说:"希望不自夸好处,也不表白自己的功劳。"

子路说:"希望听听先生的志向。"

孔子说:"我的志向是,对老年人加以安抚,对朋友加以信任,对少年加以爱护。"

5.27　子曰："已矣乎!吾未见能见其过而内自讼者也。"

译文:

孔子说:"算了吧!我没有见过能够发现自己的错误

而作自我批评的人。"

5.28　子曰:"十室之邑,必有忠信如丘者焉,不如丘之好学也。"

译文:
　　孔子说:"只有十户人家的地方,也一定有像我这样又尽心又诚信的人,只是没有比我更好学的人。"

雍也第六

　　本篇分为三十章。内容较为庞杂，涉及政治、伦理、哲学、人性、人才等方面。6.1－6.3、6.7－6.8、6.10－6.16章评价人物。6.4、6.5章强调要救济贫苦。6.6章指出选用人才的标准应该是实际才能。6.17章提出仁道是治国的必由之径。6.18章讲文与质的关系。6.19章肯定正直的人生。6.20章划分了修养道德的不同境界。6.22－6.23章分别指出智慧和仁德的涵义与区别。6.24章评价齐国鲁国的政治文化。6.25章慨叹礼制丧失的情况很严重。6.26、6.27章分别论及仁和礼。6.28章涉及孔子在卫国从政的过程。6.29章提出中庸之德。6.30章指出仁与圣的区别。

6.1　子曰："雍也可使南面①。"

注释：

①南面：古时以坐北朝南的位置为尊贵的位置，这里泛指
　　居官位治民。

译文：

　　孔子说："冉雍嘛，可以让他当官治理百姓。"

6.2　仲弓问子桑伯子①，子曰："可也②，简。"
仲弓曰："居敬而行简③，以临其民，不亦可
乎？居简而行简，无乃大简乎④?"子曰："雍之
言然⑤。"

注释：

①仲弓：即孔子弟子冉雍。子桑伯子：难以确考。刘宝楠
　　《论语正义》认为即《庄子》书中的桑雽（又作桑户），可
　　备一说。

②可也：肯定子桑伯子其人的本质是好的。

③居敬：自处时严肃恭敬。

④大：同"太"。

⑤然：是的，对的。

译文：

　　仲弓问起子桑伯子这个人。孔子说："可以的，只是
简单了些。"

　　仲弓说："自处时严肃恭敬，行事时简易不繁，用这种

方式来治理百姓,不也可以吗? 自处时简慢大意,行事时又简易不繁,不是太简易了吗?"孔子说:"你的话是对的。"

6.3 哀公问:"弟子孰为好学?"孔子对曰:"有颜回者好学,不迁怒^①,不贰过。不幸短命死矣^②,今也则亡,未闻好学者也。"

注释:

①迁怒:将自己的愤怒转加给别人。

②短命:据《史记·仲尼弟子列传》记载,颜回比孔子小三十岁,而早于孔子去世,故孔子称他短命。

译文:

鲁哀公问:"你的弟子中谁好学?"孔子回答说:"有个叫颜回的好学,从不把愤怒发泄到别人身上,从不犯同样的错误。不幸短命死了,现在再没有这样的弟子了,再也没有听说过好学的人了。"

6.4 子华使于齐^①,冉子为其母请粟^②。子曰:"与之釜^③。"

请益。曰:"与之庾^④。"

冉子与之粟五秉^⑤。

子曰:"赤之适齐也^⑥,乘肥马,衣轻裘^⑦。吾闻之也,君子周急不继富^⑧。"

注释：

①子华：即 5.8 章中的公西赤。

②冉子：即冉有。《论语》中记载的孔子弟子，只有曾参、有若、闵子骞、冉有四人称过"子"。

③釜：古代量器名，容积为当时的六斗四升，相当于今天的一斗二升八合。

④庾(yǔ)：古代量器名，容积为当时的二斗四升，相当于今天的四升八合。

⑤秉：古代量器名，容积为当时的十六斛(hú)。五秉相当于今天的十六石。

⑥适：往。

⑦衣(yì)：动词，穿。

⑧周：救济。

译文：

公西华出使齐国，冉有替他的母亲请求小米。孔子说："给他一釜。"

冉有请求多加一点。孔子说："再给一庾。"

冉有却给了他五秉小米。

孔子说："公西赤到齐国去，乘坐着肥马驾的车，穿着又轻又暖和的皮袍。我听说，君子周济急需的，不给富人添富。"

6.5 原思为之宰①，与之粟九百②，辞。子曰："毋！以与尔邻里乡党乎③！"

注释：

①原思：孔子弟子。姓原，名宪，字子思。之：指代孔子。宰：这里指大夫的家宰。此事应当是孔子做司寇时。

②九百：量词省略，今已不可确知。

③邻、里、乡、党：都是古代地方居民单位的名称。五家为邻，二十五家为里，一万二千五百家为乡，五百家为党。

译文：

　　原宪任孔子家的总管，孔子给他小米九百作为俸禄，他推辞不受。孔子说："别推辞！把它分给你的邻里乡亲吧！"

6.6　子谓仲弓曰："犁牛之子骍且角①，虽欲勿用②，山川其舍诸③？"

注释：

①犁牛：耕牛。此词的出现足以说明我国最晚在春秋时代已经掌握了牛耕的技术，这是社会生产力水平的标志。骍(xīng)：赤色。周朝以赤色为贵，所以祭祀的时候要用赤色的牲畜。角：角长得周正。

②勿用：不用来祭祀。

③其：难道。

译文：

　　孔子对仲弓说："耕牛的儿子，如果长着赤色的毛和周正的角，虽然想不用它来做祭祀的牲牛，山川神灵难道会舍弃它吗？"

6.7 子曰:"回也,其心三月不违仁①;其余则日月至焉而已矣。"

注释:

①违:离。

译文:

孔子说:"颜回呀,他的心思长年累月不离开仁德,其余的学生只能够某日某月偶尔想起罢了。"

6.8 季康子问:"仲由可使从政也与?"子曰:"由也果,于从政乎何有①?"

曰:"赐也可使从政也与?"曰:"赐也达,于从政乎何有?"

曰:"求也可使从政也与?"曰:"求也艺,于从政乎何有?"

注释:

①何有:有什么困难的。

译文:

季康子问道:"仲由,可以让他来治理政事吗?"孔子说:"仲由果断,对于治理政事有什么难的呢?"

又问:"端木赐,可以让他来治理政事吗?"孔子说:"端木赐通达,对于治理政事有什么难的呢?"

又问:"冉求,可以让他来治理政事吗?"孔子说:"冉求有才干,对于治理政事有什么难的呢?"

6.9 季氏使闵子骞为费宰①。闵子骞曰:"善为我辞焉。如有复我者,则吾必在汶上矣②。"

注释:

①闵子骞:孔子弟子。姓闵,名损,字子骞。在"四科十哲"中属"德行"(参见 11.3)。费(bì):古地名。鲁国大夫季氏的采邑,故城在今山东费县西北二十里。

②汶(wèn)上:汶水的北岸。汶,水名,即今山东的大汶河。

译文:

季氏想让闵子骞去做他的采邑费地的长官。闵子骞对来请他的人说:"好好替我辞掉吧。如果有人再来找我,我一定逃往汶水北岸去。"

6.10 伯牛有疾①,子问之,自牖执其手②,曰:"亡之,命矣夫! 斯人也而有斯疾也! 斯人也而有斯疾也!"

注释:

①伯牛:孔子弟子。姓冉,名耕,字伯牛。在"四科十哲"中属"德行"(参见 11.3)。

②牖(yǒu):窗子。

译文:

伯牛生了病,孔子去探问他,从窗户里握着他的手,说:"要死了,这是命数啊! 这样的人竟得了这样的病! 这样的人竟得了这样的病!"

6.11　子曰:"贤哉! 回也。一箪食①,一瓢饮,在陋巷②。人不堪其忧,回也不改其乐。贤哉! 回也。"

注释:

①箪(dān):古时盛饭的圆形竹器。

②巷:古人称巷有两义,一指里中道路,一指人的住处。这里用第二义。

译文:

　　孔子说:"有贤德啊,颜回这个人。一箪饭,一瓢水,居陋室。别人不能忍受这样的忧苦,颜回却不改变自得之乐。有贤德啊,颜回这个人。"

6.12　冉求曰:"非不说子之道①,力不足也②。"子曰:"力不足者,中道而废。今女画③。"

注释:

①说:"悦"的古体字。子之道:即4.15章所说的"忠恕"之道,即仁道。

②力不足:孔子曾经说过:"有能一日用其力于仁矣乎? 我未见力不足者。"(参见4.6章)可知,他强调人们要积极施行仁道,而不能借口"力不足"放弃实践。

③画:即"画地为牢"的"画",也就是原地不动。

译文:

　　冉求说:"不是不喜欢您的学说,是做起来力量不够。"孔子说:"力量不够的人,会半道停止。现在你是原地不动。"

6.13　子谓子夏曰："女为君子儒,无为小人儒。"①

注释:

①孔子教导学生以修德为主,学习文化知识则是行有余力时的选择,参见 1.6 章。而在孔门弟子中,子夏以"文学"见长(参见 11.3 章),却常常忽视道德修养,因此孔子对子夏有这样的教诲。

译文:

　　孔子对子夏说:"你要做有修养的儒者,不要做没有修养的儒者。"

6.14　子游为武城宰①。子曰："女得人焉耳乎?"曰:"有澹台灭明者②,行不由径③。非公事,未尝至于偃之室也。"

注释:

①武城:鲁国的城邑,在今山东费县西南。

②澹(tán)台灭明:字子羽,武城人。《史记·仲尼弟子列传》记载,澹台灭明是孔子弟子,不过从此章看来,至少此时澹台灭明还没有向孔子受业。

③径:小路。有记载称,古代施行井田制,道路在沟渠之上,方直如棋盘,行走时必须走在道路之上,不许斜穿取近。这里,澹台灭明就是按规定行路而受到子游的称赞,可见在当时破坏规矩以求自身便利的情况很常见。同时也是以这一小细节为比喻,说明澹台灭明是行为规矩的人。

译文：

  子游做武城的长官。孔子说："你在那里得到人才了吗？"子游说："有个叫澹台灭明的人，走路从不抄小道，不是公事，从不到我的居处来。"

6.15 子曰："孟之反不伐①，奔而殿②。将入门，策其马，曰：'非敢后也，马不进也。'"

注释：

①孟之反：即孟之侧，鲁国大夫。此事《左传·哀公十一年》有记载。伐：自夸。

②奔：逃亡。殿：行军走在最后。

译文：

  孔子说："孟之反不自夸，军败逃跑时他殿后。快入城门时，鞭打着他的马，说：'不是我敢于殿后，是马不肯前行的缘故。'"

6.16 子曰："不有祝鲀之佞①，而有宋朝之美②，难乎免于今之世矣！"

注释：

①祝鲀(tuó)：卫国大夫。祝为宗庙官名，以官为氏，字子鱼，仕卫灵公。《左传·定公四年》记载他善于辞令以助卫国的情况。佞：有口才。

②宋朝：宋国的公子朝，有美貌。出奔卫国，仕为大夫。

· 《左传·昭公二十年》记载他因为貌美而招致祸患。

译文：

　　孔子说："没有祝鮀那样的口才，而只有宋朝那样的美貌，在当今社会中是难以免祸的。"

6.17　子曰："谁能出不由户？何莫由斯道也①？"

注释：

①斯道：指孔子一生所提倡的仁道。

译文：

　　孔子说："谁能够出屋而不经过门呢？为什么没有人遵循我提倡的仁道呢？"

6.18　子曰："质胜文则野①，文胜质则史②，文质彬彬③，然后君子。"

注释：

①质：本质。文：文饰。对于人而言，固有的好品质为质，礼乐的修养为文。

②史：虚浮不实。

③彬彬：文质兼备的样子。

译文：

　　孔子说："质朴超过文采就显得粗俗，文采超过质朴就显得虚浮，文采和质朴搭配得当，这样才可以成为君子。"

6.19　子曰:"人之生也直,罔之生也幸而免①。"

注释:

①罔:诬罔不正的人。

译文:

　　孔子说:"人的生存靠正直,不正直的人也能生存,是由于他侥幸免于祸害。"

6.20　子曰:"知之者不如好之者①,好之者不如乐之者。"

注释:

①之:古注认为"之"是指学习而言,实则这一认识对于一切事情都是有效的。当然在孔子那里最关心的事情还是修养道德。

译文:

　　孔子说:"对于修养道德这件事,懂得它的人不如喜爱它的人,喜爱它的人不如以追求它为乐的人。"

6.21　子曰:"中人以上,可以语上也;中人以下,不可以语上也。"

译文:

　　孔子说:"中等智力以上的人,可以告诉他高深的学问;中等智力以下的人,不可以告诉他高深的学问。"

6.22 樊迟问知。子曰:"务民之义①,敬鬼神
而远之,可谓知矣。"

问仁。曰:"仁者先难而后获②,可谓
仁矣。"

注释:

①知:"智"的古体字。民之义:即民之宜,符合人民利益
的事。

②先难而后获:先经历实践的困难,而后才会有所得。可
参看 12.21 章。

译文:

樊迟问怎么样算是聪明。孔子说:"致力于做符合人
民利益的事,敬奉鬼神但要离开他们远一些,可以说是聪
明的了。"

又问怎么样算是有仁德。孔子说:"有仁德的人,先
经历实践的困难,而后才会有所得,这样便可以说是具备
仁了。"

6.23 子曰:"知者乐水,仁者乐山;知者动,仁
者静;知者乐,仁者寿。"①

注释:

①此章言智者和仁者的区别,同时指出智者和仁者的
收获。

译文：

　　孔子说："聪明人喜欢流动的水,仁者喜欢稳重的山;聪明人性好动,仁者性好静;聪明人快乐,仁者长寿。"

6.24　子曰："齐一变,至于鲁①;鲁一变,至于道②。"

注释：

①鲁:《左传·昭公二十年》记载,韩宣子说:"周礼尽在鲁矣。"可见春秋时的鲁国是保存周礼和周代文化最多的国家。

②道:即"天下有道,礼乐征伐自天子出"所指的"道",国家秩序完全掌握在最高统治者手中,等级制的礼制规定得到很好的遵守。

译文：

　　孔子说："齐国一变,就能达到像鲁国这样的礼乐之邦;鲁国一变,就能符合大道。"

6.25　子曰："觚不觚,觚哉！ 觚哉！"①

注释：

①觚(gū):酒器,喇叭口,细腰,高圈足。此章是孔子慨叹觚发生变化,失去古制、古法。

译文：

　　孔子说："觚不像觚,还能算是觚吗？ 还能算是觚吗？"

6.26　宰我问曰："仁者,虽告之曰:'井有仁焉。'其从之也?"子曰:"何为其然也? 君子可逝也^①,不可陷也;可欺也,不可罔也^②。"

注释:

①逝:同"折",往。

②罔:迷惑。

译文:

　　宰我问道:"有仁德的人,假如告诉他说:'井里有个仁人。'他会追随仁人跳下去吗?"孔子说:"为什么要那样做呢? 君子可以被摧折,不可能被陷害;可以被行骗,不可能被愚弄。"

6.27　子曰:"君子博学于文,约之以礼^①,亦可以弗畔矣夫^②。"

注释:

①博学于文,约之以礼:这两句说明孔子兼重学习和修身。

②畔:通"叛"。

译文:

　　孔子说:"君子广泛地学习历史文献,并且用礼来约束自己,也就可以不至于离经叛道了。"

6.28　子见南子^①,子路不说。夫子矢之曰^②:"予所否者^③,天厌之! 天厌之!"

①南子：卫灵公夫人。把持卫国的政治，而且有不正当的
　　行为，故名声不好。

②矢：通"誓"，发誓。

③所：代词。誓词中对于指誓之事多用所字结构的词组。
　　否：不当，不对。

译文：

　　孔子去见卫灵公的夫人南子，子路不高兴。孔子发
誓说："我若有不当之处，天厌弃我吧！天厌弃我吧！"

6.29　子曰："中庸之为德也①，其至矣乎②！民
鲜久矣。"

注释：

①中庸：折中，适当，不走极端。可参考"过犹不及"（见
　　11.16 章）、"不得中行而与之，必也狂狷乎"（见 13.21
　　章）、"允执其中"（见 20.1 章）等说法。

②至：至高无上。

译文：

　　孔子说："中庸作为一种道德，是至高无上的了！百
姓缺少它已经很久了。"

6.30　子贡曰："如有博施于民而能济众，何如？
可谓仁乎？"子曰："何事于仁①，必也圣乎！尧、
舜其犹病诸！夫仁者，己欲立而立人，己欲达而

达人。能近取譬，可谓仁之方也已。"

注释：

①事：止，仅。

译文：

　　子贡说："如果有人能够做到博施恩惠给百姓，又能周济大众，怎么样呢？可以说是达到仁了吗？"孔子说："怎么会只是仁呢，一定是圣啊！尧舜对此或许还感到为难呢！至于仁，自己想成功，也让别人能成功；自己想通达，也让别人事事通达。能够在近处找到例子，推己及人地去做，可以说是实践仁德的方法了。"

述而第七

　　本篇分为三十八章。7.1－7.2 章反映孔子
对待古代文化的态度。7.3 章表现孔子对不善行
为的担忧。7.4、7.9－7.10、7.32、7.38 章描述孔
子居处时的状态。7.5 章反映孔子对世事的担
心。7.6 章讲进德修业。7.7－7.8、7.22、7.25
章反映孔子的教育思想、学习方法和教学内容。
7.11 章反映孔子的处世谋略。7.12、7.16 章反
映孔子的富贵观。7.14、7.17－7.18 章反映孔子
对优秀古代文化的热爱。7.15 章涉及孔子对古
今人物的评价。7.19－7.20、7.23－7.24、7.28、
7.33－7.34 章是孔子评价自己。7.27 反映孔子
保护资源的思想。7.29、7.31 章反映孔子对待自
己与他人过错的态度。7.37 章表现君子与小人
的区别。

7.1　子曰："述而不作^①，信而好古，窃比于我老彭^②。"

> **注释：**
>
> ①述：记述、陈述，承传旧说。作：创造，有所发明。
> ②老彭：商代的贤大夫。
>
> **译文：**
>
> 　　孔子说："传述而不创作，相信并且喜欢古代文化，我私下里把自己比作老彭。"

7.2　子曰："默而识之^①，学而不厌，诲人不倦，何有于我哉^②？"

> **注释：**
>
> ①识(zhì)：记住。
> ②何有：还有什么，此外无他。
>
> **译文：**
>
> 　　孔子说："默默地记住知识，勤奋学习而不厌烦，教导别人不知疲倦，除此之外，我还做了些什么呢？"

7.3　子曰："德之不修，学之不讲，闻义不能徙^①，不善不能改，是吾忧也。"

> **注释：**
>
> ①徙：趋赴。

译文：

　　孔子说："对于道德不能修养，对于学业不能讲习，听到正义不能奔赴，有了缺点不能改正，这些是我所担忧的。"

7.4　子之燕居①，申申如也②，夭夭如也③。

注释：

①燕居：也作宴居，指古人退朝而处。

②申申：整饬的样子。

③夭夭：体貌和舒的样子。

译文：

　　孔子在家闲居，整齐端庄，和舒自然。

7.5　子曰："甚矣吾衰也！久矣吾不复梦见周公①。"

注释：

①周公：姓姬，名旦，鲁国的始封之君。周文王的儿子，武王的弟弟，成王的叔父。武王死时，成王尚幼，周公即辅佐成王，制礼作乐，对国家安定强盛起到极大作用。周公是孔子最敬服的古代圣人之一，孔子把他视为周代文化的代表，把梦见周公视为盛世有望的吉兆，也把自己的命运同世事的兴衰联系在一起。可参看9.9章。

译文：

　　孔子说："我衰老得多么厉害呀！我已经很久都没有梦见周公了。"

7.6　子曰："志于道，据于德，依于仁，游于艺①。"

注释：

①游：游乐。古人认为学习之道，有张有弛，如《礼记·学记》曾说："不兴其艺，不能乐学。故君子之于学也，藏焉，修焉，息焉，游焉。"艺：指礼、乐、射、御、书、数六艺。

译文：

　　孔子说："立志于'道'，据守着'德'，依据着'仁'，而活动于礼、乐、射、御、书、数六艺中。"

7.7　子曰："自行束修以上①，吾未尝无诲焉！"

注释：

①束修：十条干肉。很微薄的见面礼。

译文：

　　孔子说："来拜见我的人，带着十条干肉以上的礼品的，我没有不加以教诲的。"

7.8　子曰："不愤不启①，不悱不发②；举一隅不以三隅反③，则不复也④。"

注释：

①愤：憋闷，心中渴望通达而未能实现。启：开导。

②悱（fěi）：想说而不能恰当说出来。

③隅（yú）：方。方位一般有四方，"举一隅"而能"以三隅反"就是指能对各个方面有所了解。

④复：还复。

译文：

　　孔子说："教导学生，不到他心中渴望通达而自己不能实现的情况，不去开导；不到他想说却无法恰当说出来的时候，不去启发；不能做到告诉他一个方面，他就能推知其他三个方面的时候，就不再教导他。"

7.9　子食于有丧者之侧，未尝饱也。

译文：

　　孔子在死了亲人的人旁边吃饭，没有吃饱过。

7.10　子于是日哭，则不歌①。

注释：

①据《礼记》记载，古时有"哭日不歌"、"吊于人，是日不乐"的礼制规定。

译文：

　　孔子如果在这一天哭过，就不再唱歌。

7.11　子谓颜渊曰:"用之则行,舍之则藏,惟我与尔有是夫!"

子路曰:"子行三军①,则谁与?"

子曰:"暴虎冯河②,死而无悔者,吾不与也。必也临事而惧,好谋而成者也。"

注释:

①行:为,在这里引申为统帅、治理。

②暴虎:徒手与虎搏斗。冯(píng)河:徒步涉水过河。

译文:

孔子对颜渊说:"如果任用我,就施展抱负;如果不用我,就藏身民间,只有我和你能够做到这样。"

子路说:"老师如果统领三军的话,那么跟谁共事呢?"

孔子说:"徒手与虎搏斗、徒步涉水过河,虽死而不后悔的人,我不跟他共事。我所共事的人,一定是遇事时谨慎小心,善于谋划而取得成功的人。"

7.12　了曰:"富而可求也①,虽执鞭之士②,吾亦为之。如不可求,从吾所好。"

注释:

①而:如果。可求:主要指符合道义的求财方法。参见7.16章。

②执鞭之士:地位低下的官吏,在王、诸侯或有爵位的人

出入时执鞭以趋避行人。

译文:

孔子说:"财富如果是可以求得的,即使是执鞭这样的低级职务,我也愿意担任。如果不可以求得,那就按照我所爱好的行事吧。"

7.13　子之所慎:齐、战、疾①。

注释:

①齐:"斋"的古体字,祭祀前清净身心以示虔诚。

译文:

孔子慎重对待的事情有:斋戒、战事、疾病。

7.14　子在齐闻《韶》,三月不知肉味。曰:"不图为乐之至于斯也①!"

注释:

①不图:不料,没想到。

译文:

孔子在齐国听到《韶》乐,陶醉得长时间没有感到肉味鲜美,说:"没想到欣赏音乐竟能达到这样的境界。"

7.15　冉有曰:"夫子为卫君乎①?"子贡曰:"诺。吾将问之。"

入,曰:"伯夷、叔齐何人也②?"曰:"古之贤人也。"曰:"怨乎?"曰:"求仁而得仁,又何怨!"
出,曰:"夫子不为也。"

注释:

①为(wèi):帮助。这里是赞成的意思。卫君:指卫出公辄,
公元前 492－481 年在位。卫灵公之孙,太子蒯聩之子。
根据《左传·定公十四年》及《春秋》哀公二年、哀公三年的
记载:太子蒯聩冒犯了卫灵公夫人南子,出逃到晋国。卫
灵公死,立辄为君。晋国的赵简子借口要把蒯聩送回卫
国继位为君而侵略卫国。卫出公派兵抵抗入侵,同时也
表示了不希望自己的父亲蒯聩归国即位。

②伯夷、叔齐何人也:伯夷、叔齐,以互相谦让王位著称,
见 5.23 注①。这里子贡询问孔子对伯夷、叔齐的看
法,得知孔子赞赏二人让位之贤,进而推测孔子一定会
反对卫出公与自己的父亲蒯聩争夺王位的做法。

译文:

冉有说:"先生赞成卫君吗?"子贡说:"好吧,我去问
问先生。"

子贡进到孔子屋里,问道:"伯夷、叔齐是什么样的
人?"孔子说:"古代的贤人。"又问道:"他们互相让位,都
没能当成国君,后悔了吗?"孔子说:"他们追求的是仁德,
得到的就是仁德,又后悔什么呢?"

子贡走出来,说:"先生不赞成卫君。"

7.16　子曰:"饭疏食①,饮水②,曲肱而枕之③,乐
亦在其中矣! 不义而富且贵,于我如浮云④。"

注释：

①疏食：粗粮。

②水：古时常以"汤"与"水"相对而言，汤是热水，水是
冷水。

③肱（gōng）：胳膊。

④如浮云：浮云远在天边，与我无关。

译文：

孔子说："吃粗粮，喝冷水，弯着胳膊当枕头，快乐也
就在其中了！干不正当的事获得的富贵，对我而言就如
同天边的浮云。"

7.17　子曰："加我数年，五十以学《易》①，可以
无大过矣。"

注释：

①《易》：古代的占卜书，其中的卦辞和爻辞是孔子之前的
作品。

译文：

孔子说："让我多活几年，到五十岁时去学习《易》，可
以没有大过错了。"

7.18　子所雅言①，《诗》、《书》、执礼②，皆雅言也。

注释:

①雅言:通行的标准语。

②《书》:即《尚书》,是上古时期誓、诰、命、谟等记言的历
　史文件和部分追述古代事迹的著作的汇编。

译文:

　　孔子有用普通话的时候,诵《诗》、读《书》、行礼,都用
普通话。

7.19　叶公问孔子于子路①,子路不对。子曰:
"女奚不曰:其为人也,发愤忘食,乐以忘忧,不
知老之将至云尔②。"

注释:

①叶:楚国地名,在今河南叶县南三十里。公:楚国国君
　称王,大夫和地方官则称公。叶公是叶地的长官沈诸
　梁,字子高。《左传》定公、哀公之间有关于他的记载。

②云尔:如此罢了。

译文:

　　叶公向子路询问孔子是个怎样的人,子路没有回答。
孔于说:"你为什么不这样说:他的为人呀,发愤读书,忘
记了吃饭,自得其乐,忘记了忧愁,以至于不知道衰老将
要到来,如此罢了。"

7.20　子曰:"我非生而知之者,好古,敏以求之
者也。"

译文：

孔子说："我不是天生就有知识的人，而是爱好古代文化，勤勉求学获取知识的人。"

7.21 子不语怪、力、乱、神。

译文：

孔子不谈论怪异、强力、暴乱、鬼神。

7.22 子曰："三人行，必有我师焉！择其善者而从之，其不善者而改之。"①

注释：

①此章表现孔子善于向人学习好的方面，也善于吸取别人失败的教训。

译文：

孔子说："三人同行，一定有我可以取法的人在其中。选取他们的优点跟着做，了解他们的缺点自己注意改正不犯。"

7.23 子曰："天生德于予，桓魋其如予何①？"

注释：

①桓魋（tuí）：宋国的司马向魋，因为是宋桓公的后代，所以又叫桓魋。关于此章的背景，《史记·孔子世家》记

载：孔子离开曹国，到了宋国，和弟子们在大树下讲习礼仪。司马向魋想要害死孔子，撼动大树。孔子离开时，弟子们希望他走快些。于是孔子说了这段话。

译文：

孔子说："天把道德降生在我的身上，桓魋能把我怎么样呢？"

7.24 子曰："二三子以我为隐乎①？吾无隐乎尔。吾无行而不与二三子者②，是丘也。"

注释：

①隐：隐瞒。

②行：行动，作为。孔子重身教（可参 7.25、13.6 章），轻言传，即使是言传也总是注重启发而不是直接给出答案（可参 7.8 章），以至于引起弟子们的怀疑，认为孔子在教学上有所隐瞒（可参 16.13 章）。其实不然，这正是孔子教学方式的特别之处。

译文：

孔子说："你们这些学生以为我有所隐瞒吗？我对你们没有隐瞒呀。我没有任何行为不向你们公开的，这正是我的特点。"

7.25 子以四教：文、行、忠、信。

译文：

　　孔子从四个方面来教育学生：历史文献，生活实践，待人忠诚，讲究信用。

7.26　子曰："圣人①，吾不得而见之矣；得见君子者②，斯可矣。"

　　子曰："善人，吾不得而见之矣；得见有恒者③，斯可矣。亡而为有，虚而为盈，约而为泰④，难乎有恒矣。"

注释：

①圣人：孔子很少以"圣"来赞许人，参见 6.30 章。

②君子：即有仁德的人。对于"仁"与"圣"的区别，6.30 章有所说明。

③恒：恒心。

④泰：宽裕。

译文：

　　孔子说："圣人，我不能见到了；能够见到君子，就可以了。"

　　孔子说："善人，我不能见到了；能够见到有恒心向善的人，就可以了。没有却装作有，空虚却装作充实，穷困却装作富裕，这样的人是难以有恒心向善的。"

7.27　子钓而不纲①，弋不射宿②。

注释：

①纲：用大绳横遮流水，绳上再排列系钩来钓鱼，这种方法叫纲。

②弋(yì)：用带绳的箭射鸟。宿：指归宿的鸟。

译文：

　　孔子钓鱼，不用系满钓钩的大绳来捕鱼；用带丝绳的箭来射鸟，不射归巢的鸟。

7.28　子曰："盖有不知而作之者，我无是也。多闻，择其善者而从之；多见而识之，知之次也①。"

注释：

①知之次也：孔子认为："生而知之者，上也；学而知之者，次也"（见16.9章），而他自己就是学而知之者（见7.20章）。

译文：

　　孔子说："大概有不知所以就敢凭空创作的人吧，我没有这样的毛病。多听，选择其中的好东西遵从；多看，并且用心记住，这样的'知'属于次一等的'知'。"

7.29　互乡难与言①，童子见，门人惑。子曰："与其进也②，不与其退也。唯何甚！人洁己以进，与其洁也，不保其往也③。"

注释：

①互乡:地名,现在已不知其所在。

②与(yù):赞成。

③保:拘守。

译文：

　　互乡的人很难跟他们讲话,有一个童子得到孔子的接见,弟子们感到疑惑。孔子说:"赞成他的进步,不赞成他的退步。何必做得太过分呢? 别人洁身自爱以求进步,我是赞成他的清洁,不只记他过去的不好。"

7.30　子曰:"仁远乎哉? 我欲仁,斯仁至矣!"

译文：

　　孔子说:"仁德离我们很远吗? 我想要达到仁德的境界,仁德就会到来。"

7.31　陈司败问①:"昭公知礼乎②?"孔子曰:"知礼。"

　　孔子退,揖巫马期而进之③,曰:"吾闻君子不党④,君子亦党乎? 君取于吴,为同姓⑤,谓之吴孟子⑥。君而知礼,孰不知礼?"

　　巫马期以告。子曰:"丘也幸⑦,苟有过,人必知之。"

注释：

①陈司败：一说是人名，齐国大夫。一说是司败为官名，陈国大夫。详细情况今已不可知。

②昭公：鲁昭公，名裯(chóu)，襄公庶子，公元前 541 - 510 年在位。昭是谥号。

③揖(yī)：拱手行礼。巫马期：孔子弟子。姓巫马，名施，字子期。

④党：偏私，偏袒。

⑤取："娶"的古体字。为同姓：鲁为周公的后代，吴为太伯的后代，都是姬姓。

⑥吴孟子：当时国君夫人的称号，一般是生长之国的国名加上本姓。鲁昭公娶于吴，夫人的名字应该是吴姬。但是，昭公娶于吴违背了"同姓不婚"的礼制，因此讳称夫人为吴孟子。

⑦幸：指有人指出自己的错误，让自己可以改过，乃是幸事。

译文：

陈司败问："鲁昭公懂得礼吗？"孔子说："懂得礼。"

孔子走了以后，陈司败向巫马期作揖，请他走近自己，说："我听说君子没有偏私，难道君子也偏私吗？鲁君从吴国娶了夫人，因为是自己的同姓，因此讳称夫人为吴孟子。鲁君如果算是懂得礼，还有谁不懂得礼呢？"

巫马期把这番话告诉了孔子。孔子说："我孔丘幸运啊，一旦有了过错，人家一定会知道。"

7.32　子与人歌而善，必使反之，而后和之。

译文：

　　孔子跟别人一起唱歌，如果唱得好，一定请人重新唱一遍，然后自己再跟着唱一遍。

7.33　子曰："文，莫吾犹人也①。躬行君子②，则吾未之有得。"

注释：

①莫：大约。

②躬行：身体力行。

译文：

　　孔子说："文章的学问，我跟别人差不多。身体力行完全达到君子的标准，那我还没有做到。"

7.34　子曰："若圣与仁，则吾岂敢！抑为之不厌①，诲人不倦，则可谓云尔已矣！"公西华曰："正唯弟子不能学也！"

注释：

①抑：只不过。

　　可参看7.2章。

译文：

　　孔子说："如果说到圣和仁，那我怎么敢当！不过是学习不知道满足，教诲别人不觉得疲倦，只能说是如此罢了。"公西华说："这正是学生们学不到的。"

7.35　子疾病,子路请祷。子曰:"有诸?"子路
对曰:"有之。《诔》曰^①:'祷尔于上下神祇^②。'"
子曰:"丘之祷久矣。"

注释:

①诔(lěi):向鬼神祈福的祷文。

②祇(qí):地神。

译文:

　　孔子得了重病,子路请求为他祈祷。孔子说:"有这
样的事吗?"子路说:"有的。《诔》文上说:'为你向天地神
灵祈祷。'"孔子说:"我很久以前就在祈祷了。"

7.36　子曰:"奢则不孙^①,俭则固^②。与其不孙
也,宁固。"

注释:

①孙:"逊"的古体字,谦让,恭顺。

②固:鄙陋。

译文:

　　孔子说:"奢侈就会不谦让,节俭就会鄙陋。与其不
谦让,宁可鄙陋。"

7.37　子曰:"君子坦荡荡^①,小人长戚戚^②。"

注释：

①荡荡：广大的样子。

②戚戚：忧怨。

译文：

　　孔子说："君子心地平坦宽广，小人心中长怀忧怨。"

7.38　子温而厉，威而不猛，恭而安。

译文：

　　孔子温和而又严肃，有威严但不凶猛，恭敬而且安详。

泰伯第八

　　本篇分为二十一章。8.1、8.18－21 章论及古代圣贤,从中可以看出孔子的政治理想:提倡德治,主张帝位禅让。8.2 章强调礼数。8.3－8.7 章记曾子言行,可从中窥见曾子也是重视道德、讲究礼仪的人。8.8 章讲学习修德的过程。8.9 章主张以身教民,反对空言说教。8.11 章提倡谦虚之德。8.12、8.17 章分别讲学习的目的与态度。8.13 章反映孔子的处世观和富贵观。8.15 章是对音乐的评价。

8.1 子曰:"泰伯①,其可谓至德也已矣!三以天下让,民无得而称焉。"

注释:

①泰伯:也作"太伯",周朝祖先古公亶(dǎn)父的长子。古公有三个儿子,太伯、仲雍、季历。季历的儿子就是周文王姬昌。传说古公亶父想把君位传给季历,因为季历的儿子姬昌有圣瑞。太伯了解到父亲的想法,就在古公亶父重病时带着弟弟仲雍出走(到句吴自立为吴太伯,成为后来吴国的始祖),从而使王位通过季历传给了姬昌,再到姬昌的儿子姬发(即周武王)便灭了殷商,一统天下。

译文:

孔子说:"泰伯啊,那可以说是道德最高的了。屡次把天下让给弟弟季历,老百姓想不出合适的语言来称赞他。"

8.2 子曰:"恭而无礼则劳①,慎而无礼则葸②,勇而无礼则乱③,直而无礼则绞④。君子笃于亲,则民兴于仁;故旧不遗⑤,则民不偷⑥。"

注释:

①恭而无礼:即"足恭"(见5.25章)。劳:烦扰不安。
②慎而无礼:即过分小心,如"季文子三思而后行"(见5.20章)之类。葸(xǐ):畏缩,胆怯。
③勇而无礼:即鲁莽之勇,子路常常如此,故孔子对他时

有批评（参见 7.11 章）。

④绞：尖刻刺人。

⑤遗：抛弃。

⑥偷：情意淡薄，不厚道。

译文：

孔子说："恭敬而不符合礼的规定就会烦扰不安，谨慎而不符合礼的规定就会胆怯，勇敢而不符合礼的规定就会违法作乱，直率而不符合礼的规定就会尖刻伤人。君子厚待自己的亲人，老百姓就会培养仁德；君子不遗弃自己的老朋友，老百姓就不会待人薄情。"

8.3　曾子有疾，召门弟子曰："启予足①！启予手！《诗》云：'战战兢兢，如临深渊，如履薄冰。'②而今而后，吾知免夫③！小子！"

注释：

①启：同"晵"，视。

②战战兢兢，如临深渊，如履薄冰：出自《诗·小雅·小旻》。

③免：免于祸害刑戮。曾参以孝著称，而保全身体是孝道的重要内容，如《孝经》说："身体发肤，受之父母，不敢毁伤。"曾参将死，却说出自己可以免于刑戮伤害，可知他所生活的时代多么祸乱凶险。

译文：

曾参生病了，召集自己的弟子，说："看看我的脚！看看我的手！《诗经》说：'战战兢兢的，就好像面临着深渊一样,就好像踩在薄冰上一样。'从今以后,我才知道自己可以免于伤害了!学生们呀!"

8.4 曾子有疾,孟敬子问之①。曾子言曰:"鸟之将死,其鸣也哀;人之将死,其言也善。君子所贵乎道者三:动容貌②,斯远暴慢矣③;正颜色,斯近信矣;出辞气,斯远鄙倍矣④。笾豆之事⑤,则有司存⑥。"

注释:

①孟敬子:鲁国大夫仲孙捷。

②动:作,这里指整肃。

③暴:粗暴无礼。慢:懈怠不敬。

④鄙:粗野,鄙陋。倍:通"背",背离,不合礼仪。

⑤笾(biān):古代祭祀时盛食品的竹制器皿,高脚,上面圆口似碗。豆:古代盛有汁食物的木制器皿,形似笾,有盖。祭祀时也可用。"笾豆之事"代表礼仪中的细节。

⑥有司:主管具体事务的小官吏。

译文:

曾参生病了,孟敬子探问他。曾参说:"鸟快要死时,它的叫声是悲哀的;人快要死时,他说的话是善意的。君子注重的礼仪之道有三点:修饰容貌,就会远离粗率和懈怠;端正脸色,就会接近诚信;讲究言辞语调,就会远离粗野无礼。至于笾豆之类的礼仪细节,自有主管人员负责。"

8.5　曾子曰："以能问于不能,以多问于寡;有若无,实若虚,犯而不校,昔者吾友尝从事于斯矣①。"

注释:

①吾友:旧注多以为指颜回。

译文:

　　曾参说:"身为有能力的人向能力差的人请教,身为博学多闻的人向知识少的人请教;有却像没有一样,充实却像空虚一样,受到冒犯并不计较,从前我的学友曾经努力做到这些。"

8.6　曾子曰："可以托六尺之孤①,可以寄百里之命②,临大节而不可夺也③,君子人与? 君子人也。"

注释:

①六尺:古代尺短,六尺仅相当于今天的四尺一寸四分,即一百三十八厘米。身高六尺者即未成年人。

②寄百里之命:指委以国政。百里,方圆百里之地,指诸侯国。

③大节:重大事情。

译文:

　　曾参说:"可以把年幼的孤儿托付给他,可以把国家的政令委任给他,面临重大的事情而不能够动摇他的志向,这种人是君子吗? 这种人是君子。"

8.7 曾子曰:"士不可以不弘毅^①,任重而道远。仁以为己任,不亦重乎?死而后已,不亦远乎?"

注释:
①弘毅:刚强果断。

译文:
曾参说:"士人不可以不刚强果断,因为责任重大、路途遥远。以实行仁德为自己的责任,不是担子很重大吗?直到死才能停止,不是路途遥远吗?"

8.8 子曰:"兴于《诗》^①,立于礼,成于乐。"

注释:
①兴:起,开始。

译义:
孔子说:"开始于《诗》,立身于礼,完成于乐。"

8.9 子曰:"民可使由之^①,不可使知之。"

注释:
①由:跟从。
此章显示孔子教民的方法是身教。统治者的行为对于百姓的行为有示范作用,只是教导百姓向善是不够的,如果自己率先向善而让百姓照着行事,结果更好些。

可参看 17.19 章。

译文：

　　孔子说："老百姓可以让他们跟着行事，不能够只让他们知道空泛的道理。"

8.10　子曰："好勇疾贫①，乱也。人而不仁，疾之已甚，乱也。"

注释：

①好勇：即"勇而无礼"（见 8.2 章），喜欢勇力而不讲礼数。

译文：

　　孔子说："好勇却憎恶贫穷，就会造成祸乱。对于不仁的人，如果痛恨得太过分，就会造成祸乱。"

8.11　子曰："如有周公之才之美，使骄且吝①，其余不足观也已。"

注释：

①使：假使。

译文：

　　孔子说："如果有周公旦那样的才能和美质，假如骄傲而且吝啬，其他的优点也就不值得看了。"

8.12　子曰："三年学，不至于谷①，不易得也。"

①谷：古代以谷米作为俸禄。参看 14.1 章。

译文：

　　孔子说："读书三年，还没有当官受禄的念头，这是难得的。"

8.13　子曰："笃信好学，守死善道。危邦不入，乱邦不居。天下有道则见①，无道则隐。邦有道，贫且贱焉，耻也。邦无道，富且贵焉，耻也。"②

注释：

①见："现"的古体字。

②此章反映孔子的处世观和富贵观。参见 5.1、14.1 章。

译文：

　　孔子说："坚信不疑，努力学习，至死持守真理。危险的国家不进入，动乱的国家不居留。天下政治清明时就出来做官，政治混乱时就隐居。国家政治清明，如果自己贫穷而低贱，就是耻辱。国家政治混乱，如果自己富裕而尊贵，就是耻辱。"

8.14　子曰："不在其位，不谋其政。"

译文：

　　孔子说："不居于那个职位，就不考虑它的政务。"

8.15 子曰："师挚之始^①,《关雎》之乱^②,洋洋乎盈耳哉^③!"

注释:

①师挚:鲁国的乐师,名挚。始:乐曲的开端,即序曲。古代奏乐,开端叫做"升歌",一般由太师演奏,所以叫"师挚之始"。

②《关雎》:见3.20章注①。乱:乐曲的结尾一段,由多种乐器合奏,故称"乱"。结尾时演奏《关雎》的乐章,叫做《关雎》之乱"。

③洋洋:美好盛大的样子。

译文:

孔子说:"从太师挚开始演奏的乐曲,到结尾时的《关雎》乐,都美好而盛大,充满双耳啊!"

8.16 子曰："狂而不直^①,侗而不愿^②,悾悾而不信^③,吾不知之矣。"

注释:

①狂:狂放。《论语》中对于"狂"的态度是基本认同的(参见5.22、13.21章),因此认为不会有"狂而不直"的人存在。

②侗(tóng):无知。愿:质朴。

③悾悾(kōng):诚恳的样子。

译文:

孔子说:"狂放却不直率,无知而不老实,诚恳却不信实,我不知道这种人。"

8.17　子曰："学如不及，犹恐失之。"①

注释：

①此章表现孔子勤奋好学的态度。

译文：

　　孔子说："学习起来就好像总怕赶不上似的，还怕丢掉了应该学习的东西。"

8.18　子曰："巍巍乎！舜、禹之有天下也，而不与焉①。"

注释：

①与(yù)：参与。这里有享受的意思。

译文：

　　孔子说："高大啊！舜、禹拥有天下，却不独享政权。"

8.19　子曰："大哉！尧之为君也！巍巍乎！唯天为大，唯尧则之①。荡荡乎！民无能名焉。巍巍乎！其有成功也②！焕乎！其有文章③！"

注释：

①则：效法。

②成功：大功绩。

③文章：礼乐法度。

译文：

孔子说："伟大啊！尧作为君主！好高大啊！只有天最大，只有尧能够效法天。广阔浩大啊！百姓们没有能够赞美他的语言。多么高大啊！他所取得的功绩。光彩啊！他所制定的礼乐法度。"

8.20　舜有臣五人而天下治①。武王曰："予有乱臣十人②。"孔子曰："才难，不其然乎？唐、虞之际③，于斯为盛。有妇人焉，九人而已。三分天下有其二④，以服事殷。周之德，其可谓至德也已矣。"

注释：

①五人：指禹、稷、契(xiè)、皋陶(gāoyáo)、伯益。

②乱：治理天下的人才。十人：周公旦、召公奭(shì)、太公望、毕公、荣公、大颠、闳(hóng)矢、散宜生、南公适(kuò)、文王妃太姒(sì)。

③唐：尧的国号。虞：舜的国号。

④三分天下有其二：周文王原是殷商的诸侯，居雍州。因为施行仁政，天下三分之二的地区都归附于他。

译文：

舜有五位能臣，天下太平。周武王说："我有治国人才十名。"孔子说："人才难得，不是这样的吗？尧帝舜帝以下，武王时的人才最兴盛。其中还有一名是妇女，男子只有九个人罢了。文王做诸侯的时候已经得到了天下三分之二的土地，仍然能够向殷商称臣。周的道德，可以说是最高的了。"

8.21　子曰："禹，吾无间然矣①。菲饮食②，而致孝乎鬼神；恶衣服，而致美乎黻冕③；卑宫室，而尽力乎沟洫④。禹，吾无间然矣！"

注释：

①间（jiàn）：非议。

②菲：微薄。

③黻（fú）：祭祀时穿的礼服。冕：帽子，这里指祭祀时戴的礼帽。

④沟洫（xù）：沟渠，这里指疏导河流、治理洪水。

译文：

　　孔子说："禹啊，我对他没有可非议的。自己吃得很少，却用丰盛的祭品向鬼神尽孝心；自己穿得很差，却把祭祀用的礼服做得很华美；自己住低矮的房子，却为疏导河流、治理洪水而尽力。禹啊，我对他没有可非议的。"

子罕第九

　　本篇分为三十一章。以论学的内容为多，9.1章讲孔子学问的内容；9.2、9.6－9.7、9.11章反映孔子学问渊博；9.8章介绍孔子进知的方法；9.19章强调持之以恒的态度的重要性；9.22、9.30章讲进学的不同境界。9.3、9.10、9.12章关涉礼制。9.4、9.16章是对孔子的评价。9.5章记述孔子游历经过匡地的情形。9.9、9.13章反映孔子等待盛世出现，积极用世的愿望。9.14章反映孔子对先进文化的自信。9.15章记述孔子晚年致力于整理古代文化。9.17章世孔子慨叹时光易逝，时不我待。9.20－9.21章是孔子评价颜回。9.23章反映成名要趁早的主张。9.24章说明对待谏言的正确态度。9.27章反映孔子教学随时变动的特点。9.18、9.28－9.29、9.31章讲道德修养。

9.1　子罕言利,与命①,与仁。

注释:

①与(yù):许,赞同。

译文:

　　孔子很少谈到利,相信命定,赞许仁德。

9.2　达巷党人曰①:"大哉孔子! 博学而无所成名②。"子闻之,谓门弟子曰:"吾何执③? 执御乎? 执射乎? 吾执御矣。"

注释:

①达巷党:名叫达的巷子。巷党,里巷。

②成名:定名,专长某事而以此成名。

③执:专持。

译文:

　　达巷的人说:"博大啊,孔子! 学问广博,却不是以某种专长成名。"孔子听说后,对自己的学生们说:"我专掌什么呢? 专掌驾车呢? 还是专掌射箭呢? 我专掌驾车好了。"

9.3　子曰:"麻冕①,礼也;今也纯②,俭③,吾从众。拜下④,礼也;今拜乎上,泰也⑤。虽违众,吾从下。"

注释：

①麻冕：用麻布做的帽子。

②纯：黑色的丝。

③俭：根据礼的规定，用麻做礼帽，需要两千四百缕经线。而麻线较粗，制作起来非常费工。丝线细，相比而言反而俭省。

④拜下：根据礼的规定，臣子向君主行礼时先在堂下磕头，然后升堂再磕头。

⑤泰：骄纵。

译文：

孔子说："麻布做的礼帽，是符合礼的。如今都用丝来做，这样俭省，我跟从大家的做法。臣子拜见君主，先在堂下行礼，是符合礼的。如今都在堂上拜，太骄纵了。虽然违背大家的做法，我还是在堂下行礼。"

9.4　子绝四：毋意①，毋必②，毋固，毋我。

注释：

①意：凭空猜度。

②必：必须如此，不知变通。

译文：

孔子杜绝四种毛病：不凭空猜度，不毫无变通，不拘泥固执，不主观武断。

9.5　子畏于匡①。曰："文王既没，文不在兹乎②？天之将丧斯文也，后死者不得与于斯文也③；天之未丧斯文也，匡人其如予何?"

注释:

①子畏于匡:根据《史记·孔子世家》的记载:孔子离开卫国，准备去陈国，路过匡地。匡人曾经受过鲁国阳货（详见 17.1 章注①）的伤害，而孔子长得很像阳货，就被匡人误认为是阳货而遭围困。畏，围困。匡，邑名。据《左传》记载有多处。这里是指卫国的匡，大约就是今河南长垣西南十五里的匡城。

②后死者:孔子自称。文:指礼乐制度。

③与(yù):接触，得到。

译文:

　　孔子在匡地被围困，说:"文王已经死了，周代的礼乐制度不都在我这里吗?天如果要毁灭这些文明，像我这样的人就不应该得到这些文明;天如果不想毁灭这些文明，匡人又能把我怎么样呢?"

9.6　太宰问于子贡曰①:"夫子圣者与?何其多能也②?"子贡曰:"固天纵之将圣③，又多能也。"

　　子闻之，曰:"太宰知我乎!吾少也贱，故多能鄙事④。君子多乎哉?不多也。"

注释：

①太宰：官名，又称冢宰。本指天子的六卿之一，辅佐帝王治理国家，执掌百官。春秋时各国也多设此职。

②能：技艺。

③纵：舍。将(jiāng)：大。

④鄙事：指技艺而言。技艺属于小道，因此称为"鄙事"。因为不足以与圣人的才能联系在一起，所以太宰有这样的疑问。

译文：

太宰问子贡说："孔夫子该是位圣人了吧？为什么他会那么多才多艺呢？"子贡说："这本来是上天让他成为大圣人的，同时又让他会很多技艺。"

孔子听到了，说："太宰了解我吗？我年少的时候低贱，因此才学会了许多技艺。君子所掌握的技艺多吗？不多的。"

9.7　牢曰①："子云：'吾不试②，故艺。'"

注释：

①牢：人名。郑玄以为是孔子弟子，但不见于《史记·仲尼弟子列传》。今存疑。

②试：用。指用世，做官。

译文：

牢说："孔子说：'我不被任用做官，所以学了些技艺。'"

9.8　子曰:"吾有知乎哉?无知也。有鄙夫问于我,空空如也①;我叩其两端而竭焉②。"

注释:

①空空:通"悾悾"(见8.16章),诚恳的样子。

②叩:询问。两端:事物的两极,两种过度的倾向。《中庸》中说:"舜执其两端用其中于民",可与此说参证。

译文:

　　孔子说:"我有知识吗?没有知识啊!有个粗鄙的人来向我询问,非常诚恳的样子。我就向他询问事物的两极,以穷尽事物的面貌让他知道。"

9.9　子曰:"凤鸟不至①,河不出图②,吾已矣夫!"

注释:

①凤:传说中的神瑞之鸟,雄为凤,雌为皇(凰)。它的出现标志盛世到来。

②河:古时专指黄河。图:花纹。《尚书·顾命》中河图与大玉、夷玉、天球等并列而言,可知河图也是玉石一类的质地,上面有自然成形的神秘花纹。《周易·系辞上》说:"河出图,洛出书,圣人则之。"说明古时以"河出图"为盛世的征兆。

译文:

　　孔子说:"凤凰不到来,河图不出现,我的命要完结了吧!"

9.10　子见齐衰者^①、冕衣裳者与瞽者^②，见之，虽少，必作^③；过之，必趋^④。

注释：

①齐衰(zīcuī)：古代丧服，用熟麻布做成，下边缝齐，故名齐衰。服丧的等级次于斩衰。齐衰也分等，有齐衰三年，为慈母、继母服；齐衰一年，为祖父母、妻、庶母服；齐衰五月，为曾祖父母服；齐衰三月，为高祖父母服。

②衣裳：古时上衣称衣，下衣称裳，相当于现在的裙。瞽(gǔ)：目盲。

③作：起，站起来。

④趋：低头弯腰、小步快走，表示恭敬的一种走路姿势。

译文：

　　孔子遇到穿丧服的人、穿戴着礼帽礼服的人和盲人，见到他们，即使是少年，一定会站起来；经过他们时，一定会小步快走以示恭敬。

9.11　颜渊喟然叹曰^①："仰之弥高，钻之弥坚，瞻之在前，忽焉在后^②！大子循循然善诱人，博我以文，约我以礼，欲罢不能。既竭吾才，如有所立卓尔^③。虽欲从之，末由也已^④！"

注释：

①喟(kuì)然：长叹的样子。叹：赞叹。

②"仰之弥高"四句：形容孔子的学说高妙难测，无所不在。

③所立:孔子有新的创立。

④末:无。

译文:

　　颜渊长叹着称赞道:"老师的学说,越是仰望就越觉得高大,越是钻研就越觉得坚实。眼看着它在前面,忽而又在后面。老师循序渐进地善于诱导人,用广博的文化知识来充实我,用一定的礼节来约束我,想要停下来也不可能。我已经用尽了我的才能,好像立在我面前的东西十分崇高,虽然想要跟在后面,又没有途径可以做到。"

9.12　　子疾病,子路使门人为臣①。病间②,曰:"久矣哉,由之行诈也!无臣而为有臣③,吾谁欺?欺天乎?且予与其死于臣之手也,无宁死于二三子之手乎④!且予纵不得大葬,予死于道路乎?"

注释:

①臣:治丧的专人。

②间(jiàn):病痊愈或好转。

③无臣而为有臣:按照礼的规定,诸侯、大夫死时才能有臣治丧。孔子此时没有官职,故不能由臣为他治丧。

④无宁:宁。无,助词,无实义。

译文:

　　孔子得了重病,子路让孔子的学生充当治丧的臣。病好了之后,孔子说:"仲由搞欺骗,已经太久了啊!我本来不应该有治丧的臣却设立了治丧的臣,让我欺骗谁呢?

欺骗天吗? 况且我与其死在治丧之臣的手里,还不如死在你们这些弟子的手里呢! 我纵然不能用君臣那样隆重的葬礼,难道我还会死在道路上吗?"

9.13　子贡曰:"有美玉于斯,韫椟而藏诸①,求善贾而沽诸②?"子曰:"沽之哉! 沽之哉! 我待贾者也!"

注释:

①韫(yùn):藏。椟:匣子。诸:"之乎"的合音。

②贾(gǔ):商人。沽(gū):卖。

译文:

　　子贡问道:"有一块美玉在那里,是把它藏在匣子里呢? 还是等待一个识货的商人卖了它?"孔子说:"卖了它啊! 卖了它啊! 我就是在等待买主呢!"

9.14　子欲居九夷①。或曰:"陋,如之何!"子曰:"君子居之,何陋之有?"

注释:

①夷:古代对于东方落后部落的称谓。

　　此章表明孔子想用先进文化改变文化落后地区面貌的自信态度。

译文:

　　孔子想要到九夷之地居住。有人说:"那地方太简陋了,怎么住呢?"孔子说:"君子居住的地方,怎么会简陋呢?"

9.15 子曰:"吾自卫反鲁①,然后乐正②,《雅》、《颂》各得其所③。"

注释:

①自卫反鲁:根据《左传》的记载,此事发生在鲁哀公十一年(公元前484),孔子已68岁。

②乐正:整理音乐。包括两方面的内容:一是正乐章,确定各种音乐所适用的场合;一是正乐音,对音调、节奏都给予符合其功能的定位。

③《雅》、《颂》:最初是乐曲分类的类名。《雅》乐是周天子王城附近的音乐,具有民歌的特征,但因为使用的是"雅"音(普通话、标准语之类),又与各地的方言民歌相区别。《颂》乐用于宗庙祭祀,乐曲节奏缓慢,乐调庄严肃穆。《雅》、《颂》音乐都有与之伴唱的歌辞,这些歌辞经过整理被收集在《诗经》中流传下来。时至今日,由于古乐早已失传,这些音乐的具体样式已不可考知,只剩下《诗经》中记载的歌辞可以辅助我们推测其作为音乐门类的基本特征。

译文:

孔子说:"我从卫国回到鲁国,然后音乐才得到整理,《雅》、《颂》各自归于它们应在的位置。"

9.16 子曰:"出则事公卿,入则事父兄,丧事不敢不勉,不为酒困①,何有于我哉!"

注释:

①困:乱。参见10.8章。

译文:

孔子说:"出外做官就侍奉公卿,回家隐居就侍奉父兄,办丧事不敢不尽力,不被酒所惑乱,除此之外,对于我还有些什么呢?"

9.17 子在川上曰:"逝者如斯夫①! 不舍昼夜。"

注释:

①逝者:指逝去的光阴。参见17.1章。

译文:

孔子在河边感叹道:"逝去的时光就像这河水一样啊! 日夜不停地流去。"

9.18 子曰:"吾未见好德如好色者也。"

译文:

孔子说:"我没有见过追求道德像追求女色一样努力的人。"

9.19 子曰:"譬如为山,未成一篑①,止,吾止也! 譬如平地,虽覆一篑,进,吾往也!"

①篑(kuì)：盛土的竹筐。未成一篑，差一筐土没有完成。这是古时常用的比喻，《尚书·旅獒》中也有"为山九仞，功亏一篑"的说法，用以说明持之以恒的努力才是成功的决定条件。

译文：

　　孔子说："好比堆土成山，还差一筐土没有堆上去，停止不做，这是自己停止的。好比平地堆山，虽然刚刚倒下第一筐土，有志于前进，这是自己要前进的。"

9.20　子曰："语之而不惰者，其回也与！"

译文：

　　孔子说："跟他讲学问能够始终不懈怠的，大概只有颜回一个人吧。"

9.21　子谓颜渊，曰："惜乎①，吾见其进也，未见其止也！"

注释：

①惜：这里是孔子惋惜颜回早死。

译文：

　　孔子评价颜渊，说："可惜呀他死得太早，我只看见他不断地进取，从没有看见过他停止不前。"

9.22　子曰："苗而不秀者有矣夫①！秀而不实者有矣夫！"

注释：

①秀：谷类作物抽穗开花。

译文：

　　孔子说："发芽出苗而没有抽穗开花的情况有了吧！抽穗开花而没有成熟结籽的情况有了吧！"

9.23　子曰："后生可畏，焉知来者之不如今也？四十、五十而无闻焉①，斯亦不足畏也已！"

注释：

①四十、五十：这是孔子理想人生中的两个重要年岁，四十岁时应该"不惑"（见2.4章）、万万不可被人所厌恶（见17.26章），五十岁时应该"知天命"（见2.4章）、不应有大过（见7.17章）。

译文：

　　孔子说："年轻人是值得敬畏的，怎么知道后来的人赶不上今天的人呢？如果四五十岁时还没有名声，这也就不值得敬畏了。"

9.24　子曰："法语之言①，能无从乎？改之为贵。巽与之言②，能无说乎？绎之为贵③。说而不绎，从而不改，吾末如之何也已矣！"

注释:

①法:严肃。

②巽(xùn):通"逊",谦逊恭顺。

③绎:寻求头绪,推究。

译文:

　　孔子说:"严肃地说出来的话,能不顺从吗?以能够帮助自己改正错误为可贵。谦逊恭顺的话,能不让人高兴吗?以能够分析一下是否对自己有帮助为可贵。只知道高兴却忘了分析,只知道顺从却无所改正,这种人我是没有什么办法了。"

9.25　子曰:"主忠信,毋友不如己者,过则勿惮改。"①

注释:

①此句已见于1.8章。

译文:

　　孔子说:"恪守忠诚信实的道德要求,不与道德上不如自己的人交往,有了错误就不要怕改正。"

9.26　子曰:"三军可夺帅也①,匹夫不可夺志也。"

注释:

①三军:军队的通称。

译文：

　　孔子说："人数众多的军队，有可能被夺去它的主帅；一个普通人，却不能强迫他改变志向。"

9.27　子曰："衣敝缊袍①，与衣狐貉者立②，而不耻者，其由也与！'不忮不求，何用不臧?'③"子路终身诵之。子曰："是道也，何足以臧?"

注释：

①衣(yì)：穿着。缊(yùn)：旧絮。当时的絮是丝绵，棉花出现得较晚。这里指衣服破旧。

②狐貉(hé)：泛指名贵的皮毛。

③不忮(zhì)不求，何用不臧(zāng)：《诗经·邶风·雄雉》中的句子。忮，嫉恨。臧，善。

译文：

　　孔子说："穿着丝絮破烂的旧袍子，与穿名贵皮毛衣服的人站在一起，却不感到耻辱的人，大概只有仲由吧！《诗经》里说：'不嫉妒，不贪求，为什么不好?'"子路于是总是念叨这两句诗。孔子又说："仅仅这样，怎么能算是好呢?"

9.28　子曰："岁寒，然后知松柏之后凋也。"

译文：

　　孔子说："天冷了，才能知道松柏树是最后落叶的。"

9.29 子曰:"知者不惑,仁者不忧①,勇者不惧。"

注释:

①知(zhì),"智"的古体字。不忧:不忧愁。有仁德的人安贫乐道,所以不会因为贫穷而忧愁,参见4.2、4.5、6.11、7.12、7.16、15.2等章。有仁德的人问心无愧,所以不会因为自己的行为而忧愁,参见12.4章。

译文:

孔子说:"有智慧的人不迷惑,有仁德的人不忧愁,有勇气的人不恐惧。"

9.30 子曰:"可与共学,未可与适道①;可与适道,未可与立②;可与立,未可与权③。"

注释:

①适:到……去。
②立:参2.4章注②。
③权:权变,根据情况而变通。

译文:

孔子说:"可以跟他一起学习,未必可以跟他一起达到道的要求;可以跟他一起达到道的要求,未必可以跟他一起按照规定行事;可以跟他一起按照规定行事,未必可以跟他一起权衡情况有所变通。"

9.31 "唐棣之华,偏其反而。岂不尔思?室是远而^①。"子曰："未之思也，夫何远之有？"

注释：

①"唐棣之华，偏其反而。岂不尔思？室是远而"四句是
佚诗。唐棣（dì），树名，又作常棣，果实似樱桃。华，
花。偏，通"翩"。反，通"翻"。

此章比喻思仁。仁德并非遥不可及，只要自己衷心向
往、努力实践，一定可以达到仁德之境。可参看
7.30章。

译文：

有诗句这样说："唐棣树的花，翩翩地摇摆。哪里是
不想念你啊？你家实在是太远了。"孔子说："没有想念他
呀，真的想念的话，有什么远的呢？"

乡党第十

　　本篇分为二十七章。内容是孔子践履礼仪的情况,从中可略见古礼概貌。10.1 章介绍在不同场合、不同身份的人面前如何谈吐。10.2 章讲接待宾客时的行动言语。10.3 章讲出入朝廷时的行为容貌。10.4 章讲出使别国时的举止礼节。10.5 章讲穿着方面的规定与禁忌。10.6 章讲饮食方面的规定与禁忌。10.7、10.9、10.11 – 10.12 章是有关祭祀礼仪。10.8、10.10、10.22、10.24 章是居处礼仪。10.13 – 10.14、10.20 – 10.21、10.23 是待人之礼。10.16 – 10.18 是事君之礼。

10.1 孔子于乡党①,恂恂如也②,似不能言者。其在宗庙、朝廷,便便言③,唯谨尔。

注释:

①乡党:乡里,本乡本土。

②恂恂(xún):温和恭谨的样子。

③便便(pián):言语流畅的样子。

译文:

孔子在家乡,温和而恭谨,好像不太会讲话的样子。他在宗庙或朝廷上,言语流畅,只是很谨慎。

10.2 朝,与下大夫言①,侃侃如也②;与上大夫言,訚訚如也③。君在,踧踖如也④,与与如也⑤。

注释:

①下大夫:在周代的分封等级制中,大夫是诸侯之下的一个等级。其中又有不同的等级,卿是最高一级,即下文所说的"上大夫",其余即下大夫。

②侃侃:和乐的样子。

③訚訚(yín):恭敬而正直的样子。

④踧踖(cùjí):恭谨局促的样子。

⑤与与:威仪适度的样子。

译文:

上朝的时候,跟下大夫说话,温和欢愉;跟上大夫说话,恭敬正直。君主在朝的时候,举止恭敬,威仪适度。

10.3　君召使摈①,色勃如也②,足躩如也③。揖所与立④,左右手⑤。衣前后⑥,襜如也⑦。趋进⑧,翼如也。宾退,必复命曰:"宾不顾矣⑨。"

注释:

①摈(bìn):通"傧",引导宾客。

②色:面色。勃如:矜持庄重的样子。

③躩(jué):快速的样子。

④所与立:左右并立的人。

⑤手:拱手行礼。

⑥衣前后:指衣裳随着作揖时的身体动作而前后摆动。

⑦襜(chān):整齐的样子。

⑧趋进:快步前进,是一种表示尊敬的走路姿态。

⑨顾:回头看。

译文:

　　君主召孔子来接待宾客,孔子脸色庄重矜持,脚步快速。他向一同站立的人作揖,向左右两边的人拱手,衣裳随着身体的动作前后摆动,但很整齐。快步前进,姿态向鸟儿展翅一样。宾客退下去以后,一定向君主回报说:"宾客不再回头了。"

10.4　入公门①,鞠躬如也②,如不容。

　　立不中门③,行不履阈④。

　　过位⑤,色勃如也,足躩如也,其言似不足者⑥。

摄齐升堂⑦，鞠躬如也，屏气似不息者⑧。

出，降一等⑨，逞颜色⑩，怡怡如也⑪。

没阶⑫，趋进，翼如也。

复其位⑬，踧踖如也。

注释：

① 公门：君门。

② 鞠躬：弯曲着身子，以示恭敬。

③ 立不中门：不正当门中央站立。古礼的规定，中门只有
尊者可以走。

④ 履：踩、踏。阈（yù）：门坎。

⑤ 位：指君主的座位，经过之时，人君不在，座位是空的。

⑥ 其言似不足者：指寡言少语，以示敬慎。

⑦ 摄：提起。齐：衣裳的下摆。

⑧ 屏（bǐng）气似不息者：指控制呼吸的声音，以示尊敬。

⑨ 等：台阶。

⑩ 逞：放开。

⑪ 怡怡：和乐的样子。

⑫ 没（mò）阶：走完台阶。

⑬ 其位：入朝时曾经站立的地方。

译文：

　　孔子走进朝廷的大门时，恭恭敬敬地弯着身子，好像
没有容身之处。

　　站立时不会正当门中央站着，行走时不会踩着门坎。

　　经过君主座位时，脸色庄重矜持，脚步快速，说话好
像中气不足的样子。

提起衣裳的下摆来上台阶走进堂中,恭恭敬敬地弯着身子,屏住气息好像不能呼吸的样子。

出来时,走下一级台阶,才放松脸色,露出和乐的神情。

走完台阶,快步前进,姿态向鸟儿展翅一样。

回到他入朝时曾经站立的地方,同样是举止恭敬。

10.5　执圭①,鞠躬如也,如不胜②。上如揖,下如授③。勃如战色④,足蹜蹜如有循⑤。

享礼⑥,有容色。

私觌⑦,愉愉如也⑧。

注释:

①圭:玉器,上圆下方,举行典礼时君臣都拿着。这里指大夫出使别的诸侯国时拿着代表本国君主的圭。

②不胜:不能胜任其重,表示敬慎。

③上如揖,下如授:指执圭时保持在正确的位置,以示尊敬。

④战色:战战兢兢的面色。

⑤蹜蹜(suō):小步走路。循:遵循。

⑥享礼:献礼。指使臣受到接见后,向对方贡献礼物的仪式。

⑦私:私人身份。觌(dí):会见。

⑧愉愉:和乐的样子。

译文:

孔子出使别国的时候,拿着国君授与的玉圭,恭恭敬敬地弯着身子,好像拿不动的样子。向上举起时好像作揖的姿势,朝下拿着时好像递东西给人的姿势。面色矜持庄重十分谨慎,脚步很小,好像遵循着什么标记在行走。

举行献礼的时候,满脸和气。

以私人身份见面的时候,显得轻松愉快。

10.6　君子不以绀緅饰①。红紫不以为亵服②。

当暑,袗绨绤③,必表而出之④。

缁衣羔裘⑤,素衣麑裘⑥,黄衣狐裘。

亵裘长,短右袂⑦。

必有寝衣⑧,长一身有半。

狐貉之厚以居⑨。

去丧⑩,无所不佩⑪。

非帷裳⑫,必杀之⑬。

羔裘玄冠不以吊⑭。

吉月⑮,必朝服而朝。

注释:

①绀(gàn):带红的黑色。緅(zōu):微带红的黑色,与绀
　比黑多红少,颜色更暗。饰:领和袖的缘边。绀緅都是
　古时礼服的颜色,因此不能用来作缘边。

②红紫:都是贵重的正服所用的颜色。亵(xiè)服:居家
　常穿的便服。

③袗(zhěn):单衣。绨(chī):细葛布。绤(xì):粗葛布。

④表:穿在外面的衣服。这里用作动词,指加上或罩上外衣。出:出门。

⑤缁:黑色。衣:外衣。羔裘:黑羊羔皮的裘衣。

⑥素:白色。麑(ní):小鹿。毛为白色。

⑦袂(mèi):衣袖。右侧的袖子短一些是为了做事的方便。

⑧寝衣:被子。

⑨以居:用作坐褥。居,坐。

⑩去丧:丧期结束。

⑪佩:佩带的饰物。

⑫帷裳:上朝、祭祀时穿的礼服。用整幅布做成,多余的布不裁掉,折叠缝上。

⑬杀(shài):减省。这里指加以剪裁,去除多余的布。

⑭玄冠:黑色的礼帽。

⑮吉月:农历每月初一。

译文:

君子不用绀色、缁色的布做衣领衣袖的边饰,不用红色、紫色的布做平常在家穿的衣服。

夏天,穿细的或粗的葛布单衣,出门时一定再罩上一件外衣。

黑色的外衣,内配黑羔皮裘;白色的外衣,内配小鹿皮裘;黄色的外衣,内配狐狸皮裘。

平常在家穿的皮裘做得长一些,右侧的袖子做得短一些。

睡觉一定有被子,长度相当于一个半人的身长。

用毛厚的狐貂皮做坐褥。

丧期结束了,没有什么饰物不可以佩带。

不是帷裳,一定要经过剪裁。

不能穿戴着黑色的羔裘和黑色的礼帽去吊丧。

每个月的初一,一定穿着上朝的礼服去上朝。

10.7 齐①,必有明衣②,布③。

齐,必变食④,居必迁坐⑤。

注释:

①齐:"斋"的古字体。

②明衣:浴衣。

③布:春秋时没有棉布,布指麻布或葛布。

④变食:指改变日常的饮食,不饮酒,不吃荤(古时荤指葱蒜韭等有辛辣气味的植物)。

⑤迁坐:指改变平常的居处,由"燕寝"迁到"外寝"(也叫"正寝"),不与妻妾同房。

译文:

斋戒的时候,一定有浴衣,是布做的。

斋戒的时候,一定要改变平常的饮食,不饮酒,不吃荤;居处也要变动,在正寝里安歇。

10.8 食不厌精①,脍不厌细②。

食馈而餲③,鱼馁而肉败④,不食。色恶,不食。臭恶⑤,不食。失饪⑥,不食。不时⑦,不食。割不正⑧,不食。不得其酱⑨,不食。

肉虽多,不使胜食气⑩。

唯酒无量,不及乱⑪。

沽酒市脯⑫,不食。

不撤姜食⑬,不多食。

注释:

①食:饭食。厌:满足,贪求。与"食无求饱"(见 1.14 章)
　同义。

②脍(kuài):切得很细的鱼和肉。

③馇(yì)而餲(ài):指食物经久而变味。

④馁(něi):鱼腐烂。败:肉腐烂。

⑤臭:通"嗅",气味。

⑥饪(rèn):生熟的火候。

⑦不时:不是吃饭的时候。

⑧不正:切肉有一定法度,不合法度叫不正。

⑨酱:古时吃鱼配以芥酱,吃肉配以醢(hǎi)酱。不得其
　酱,指搭配的酱不正确。

⑩气:通"饩(xì)",粮食。

⑪乱:神志昏乱,指醉酒。

⑫沽(gū)、市:买。脯(fǔ):干肉。

⑬撤:去。

译文:

　　饭食不贪吃精细的,鱼肉不贪吃细美的。

　　饭食放久了变味,鱼和肉烂腐了,不吃。颜色变坏
了,不吃。味道变臭了,不吃。烹饪的火候不对,不吃。
不是吃饭的时间,不吃。切肉的刀工不合度,不吃。酱配
得不对,不吃。

肉虽然多,不要让吃肉的分量超过了粮食的分量。

只有酒没有规定用量,以不至于喝醉为限。

买来的酒和干肉,不吃。

不去掉姜,但也不多吃。

10.9　祭于公,不宿肉①。祭肉不出三日。出三日,不食之矣。

注释:

①宿肉:过夜的肉。按照古礼的规定,大夫、士都要参加天子、国君的祭祀仪式,称为助祭。祭祀结束后,要把祭祀用的牺牲分给助祭之人,再由他们分赐给自己的家臣,以明分享神恩之义。分赐这些祭祀用牲的工作不能过夜,以免拖延神意的下达。

译文:

助祭于国君,分得的肉不过夜。祭祀用过的肉不超过三天。超过三天,就不吃了。

10.10　食不语,寝不言。

译文:

吃饭的时候不交谈,睡觉的时候不说话。

10.11　虽疏食、菜羹、瓜祭①,必齐如也。

注释:

①瓜祭:吃瓜时的祭祀。有的传本写作"必祭",两者皆
　通。此句是指即使是祭品简陋的祭祀也要郑重其事地
　举行。可参见3.4章。

译文:

　　即使是吃粗粮、喝菜汤、吃瓜的祭祀,也一定要像斋
戒了那样郑重。

10.12　席不正①,不坐。

注释:

①席:古时没有桌椅,人们都席地而坐。

译文:

　　坐席放得不端正,就不坐。

10.13　乡人饮酒①,杖者出②,斯出矣。

注释:

①乡人饮酒:指行乡饮酒礼。按照《仪礼·乡饮酒义》的
　记载,仪式有四种:一、每三年宴饮贤能一次;二、乡大
　夫宴饮国中贤者;三、州长习射饮酒;四、党正蜡(zhà)
　祭(年终祭祀)饮酒。这里主于敬老,应当是第四种。
②杖者:拄拐杖的人,指长者。

译文:

　　参加乡饮酒礼之后,拄拐杖的长者出去以后,这才可

以出去。

10.14　乡人傩^①，朝服而立于阼阶^②。

注释：

①傩（nuó）：驱逐疫鬼的一种仪式。

②阼（zuò）阶：东面的台阶，主人站立的位置。

译文：

　　乡人举行驱逐疫鬼的仪式，穿着朝服站在东面的台阶上。

10.15　问人于他邦^①，再拜而送之^②。

注释：

①问：送礼问候。

②再拜：拜两次，以表示对问候之人的敬重。

译文：

　　派使者到别国去问候人，在送别使者的时候要拜两次。

10.16　康子馈药^①，拜而受之。曰："丘未达^②，不敢尝。"

注释：

①康子：即季康子，见2.20章注①。馈（kuì）：赠送。

②达:了解。

译文:

　　季康子送药来,孔子拜了一拜,接受下来。说:"我不了解药性,不敢尝用。"

10.17　厩焚。子退朝,曰:"伤人乎?"不问马。

译文:

　　马棚失火。孔子退朝回来,问道:"伤着人了吗?"没有问马。

10.18　君赐食,必正席先尝之①;君赐腥②,必熟而荐之③;君赐生④,必畜之。

　　侍食于君,君祭,先饭⑤。

注释:

①正席:端正坐席以示尊敬。先尝之:自己先尝一尝,然　　后分赐给下属。参见10.12章。

②腥:生肉。

③荐:供奉。之:代指先祖。

④生:活的。

⑤先饭:先吃饭,即为君尝食。

译文:

　　君主赐给饭食,一定要端正坐席后郑重地先尝一尝。君主赐给生肉,一定煮熟后供奉祖先。君主赐给活的牲畜,一定把它养起来。

　　侍奉君主吃饭,君主进行饭前祭礼的时候,自己先吃饭。

10.19　疾,君视之①,东首②,加朝服,拖绅③。

注释:

①视:探视,问病。

②东首:头朝东躺着。古礼规定,室内西方为尊位,君主或君主的使臣入室之后,一定要背西面东,因此病者一定要头朝东躺着,面向君主或君主的使臣。

③加朝服,拖绅:指服饰郑重整齐地见君主或君主的使臣。绅,束在腰间的大带。

译文:

　　孔子病了,君主前来探病。他就头朝东躺着,把上朝穿的衣服加在身上,还拖着一条大带。

10.20　君命召,不俟驾行矣①。

注释:

①俟(sì):等待。

译文:

　　君主召见孔子,他不等马车备好就先步行走了。

10.21　入太庙,每事问。①

注释：

①本章文字已见于 3.15 章。

译文：

　　孔子进入太庙，每件事都要问一问。

10.22　朋友死，无所归。曰："于我殡^①。"

注释：

①殡（bìn）：停枢待葬。这里泛指丧葬之事。

译文：

　　朋友死了，没有人管。孔子说："由我来料理他的丧事吧。"

10.23　朋友之馈，虽车马，非祭肉^①，不拜。

注释：

①非祭肉，不拜：拜谢祭肉，表示对馈赠者祖先的敬重。

译文：

　　朋友赠送的礼物，即使是贵重的车马，如果不是祭祀用的肉，接受的时候就不拜。

10.24　寝不尸，居不容^①。

注释：

①容：有的传本写作"客"，两者皆通。这里是指闲居的时候

容仪与有客人的时候不一样,以此来显示对客人的尊重。

译文:

　　睡觉的时候不像死尸一样直挺挺地躺着,居家的时候不用保持严肃的容仪。

10.25　见齐衰者①,虽狎②,必变③。见冕者与瞽者,虽亵④,必以貌。

凶服者式之⑤。式负版者⑥。

有盛馔⑦,必变色而作⑧。

迅雷风烈,必变。

注释:

①齐衰:见9.10章注①。

②狎(xiá):亲近。

③变:改变颜色,以示同情。

④亵:常见,熟悉。

⑤凶服:丧服。式:通"轼",车前用于扶手的横木。这里作动词。乘车遇见地位高的人或其他人时,身子向前微俯,伏在横木上,以表示尊敬或同情。

⑥负版:背着国家图籍。

⑦盛馔(zhuàn):丰盛的饭食。

⑧作:站起来,以示敬意。

译文:

　　看见穿丧服的人,即使是亲近的人,也一定要改变面色以示同情。看见穿礼服的人和盲人,即使是熟悉的人,也一定有礼貌地对待他。

　　乘车时,遇见穿孝衣的人要行轼礼。遇见背着国家图籍的人也要行轼礼。

　　别人以丰盛的饭食款待,一定要改变容色站起身来表示敬意。

　　遇到疾雷、大风,一定要改变容色。

10.26 升车,必正立,执绥①。
车中不内顾②,不疾言③,不亲指④。

注释:

①绥(suí):上车时扶手用的索带。

②内顾:回头看。

③疾:快速。

④亲指:用手指点。

译文:

　　上车时,一定要端正地站好,拉着绥带上车。

　　在车上不回头看,不快速地讲话,不用手到处指点。

10.27　色斯举矣①,翔而后集。曰:"山梁雌雉②,时哉!时哉!"子路共之③,三嗅而作④。

注释:

①色:作色,动容。斯:则。举:鸟飞起来。

②雉(zhì):野鸡。

③共：通"拱"。

④噢：当作"臭（jú）"，鸟张开两翅。

译文：

人的脸色一变，野鸡就飞起来，盘旋了一阵，然后又集中落在一起。孔子说："山梁上的雌雉，得其时啊！得其时啊！"子路向它们拱了拱手，它们张了张翅膀，振翅而去。

先进第十一

　　本篇分为二十四章。以孔子评论自己学生的内容为主,论及颜渊(回)、闵子骞、冉伯牛、仲弓(冉雍)、宰我(予)、子贡(端木赐)、冉有(求)、季路(子路、仲由)、子游、子夏(商)、南容、子羔(柴)、曾参、子张(师)、公西华(赤)、曾皙(点)等16人。读此篇可以了解孔子弟子的性格、言行、志向、道德水平等,也可以窥知孔子因材施教的教育思想。11.7、11.9－11.10章对颜回给予极高的称赞,但11.8、11.11章又反对厚葬颜回,由此可见在遵守礼制方面孔子对众人的要求是一致的(可参看9.12章)。11.1章反映孔子以才能选官的用人思想。11.12章反映孔子的生死、鬼神观念。11.19章提出善人的标准。

11.1　子曰："先进于礼乐^①，野人也^②；后进于礼乐，君子也^③。如用之，则吾从先进。"

注释：

①先进于礼乐：先修习礼乐。

②野人：没有贵族身份、地位低贱的人。

③君子：与"野人"相对，是指有世袭贵族身份的人。

译文：

　　孔子说："先修习好礼乐的，是那些没有贵族身份、地位低的人。后修习好礼乐的，是有世袭贵族身份的人。如果选用人才，那我主张选用先修习好礼乐的人。"

11.2　子曰："从我于陈、蔡者^①，皆不及门也^②。"

注释：

①从：随行。于陈蔡：据《史记·孔子世家》记载，孔子周游列国曾厄于陈、蔡之间，也可参看 15.2 章。

②及门：在某人门下当学生。

译文：

　　孔子说："在陈、蔡两国间受难时跟随我的学生，都已不在我的门下了。"

11.3　德行：颜渊，闵子骞，冉伯牛，仲弓；言语^①：宰我，子贡；政事：冉有，季路；文学^②：子游，子夏。

注释:

①言语:辞令。

②文学:古代文献与文化知识。

译文:

　　孔子的学生中,道德修养好的是:颜渊,闵子骞,冉伯牛,仲弓;善于辞令的是:宰我,子贡;善于政事的是:冉有,季路。文化修养好的是:子游,子夏。

11.4　子曰:"回也非助我者也! 于吾言无所不说。"①

注释:

①说(yuè):"悦"的古体字。本章可与 2.9、9.20 章参看。

译文:

　　孔子说:"颜回啊,不是个有助于我的人。他对我的话没有不心悦诚服的。"

11.5　子曰:"孝哉闵子骞! 人不间于其父母昆弟之言①。"

注释:

①间:不同意,非议。

译文:

　　孔子说:"孝顺啊,闵子骞! 别人没有不同意他父母兄弟称许他的话的。"

11.6 南容三复白圭①,孔子以其兄之子妻之。

注释:

①白圭:指《诗经·大雅·抑》中的诗句:"白圭之玷,尚可磨也。斯言之玷,不可为也。"由此可知南容出言谨慎,少有过失。可参见5.2章。

译文:

南容反复诵读"白圭上的污点还可以磨掉,说错了话,就无法挽回了"的诗句,孔子便把他哥哥的女儿嫁给了他。

11.7 季康子问:"弟子孰为好学①?"孔子对曰:"有颜回者好学,不幸短命死矣! 今也则亡②。"

注释:

①这个问题,鲁哀公也曾问过孔子,见6.3章。
②亡:通"无"。

译文:

季康子问道:"你的弟子中谁好学?"孔子回答说:"有个叫颜回的好学,不幸短命死了,现在再没有这样好学的弟子了。"

11.8 颜渊死,颜路请子之车以为之椁①。子曰:"才不才,亦各言其子也。鲤也死②,有棺而无椁。吾不徒行以为之椁,以吾从大夫之后③,

不可徒行也^④。"

注释：

①颜路：颜回的父亲。名无繇(yóu)，字路，也是孔子弟子。椁(guǒ)：又作"槨"，外棺。古时棺材分两重，里层叫棺，外层叫椁。

②鲤：孔子的儿子，名鲤，字伯鱼。年五十而亡，那时孔子七十岁。

③从大夫之后：在大夫的行列之后随行。孔子曾经做过司寇，为大夫之位。当时则已去位，因此说"从大夫之后"。

④不可徒行：《礼记·王制》记载，有官爵的人和老年人不必徒步行走了。可知大夫拥有车乘，是符合礼的规定的。《礼记·檀弓》说，安葬双亲应该根据家庭的财力。对于子女更应该如此，所以颜渊入葬时仅有内棺没有外椁并不违反礼制；相反，如果超过自家的能力厚葬颜渊，反而是违背礼的，孔子坚持不卖车来为颜渊置办外棺，正是在维护礼。

译文：

颜渊死了，他父亲颜路请求孔子把自己的车卖了来替颜渊置办外椁。孔子说："有才能的和无才能的，对各人来说都是自己的儿子。我儿子孔鲤死的时候，也只有内棺没有外椁。我之所以不卖掉车徒步行走来替他置办外椁，是因为我在大夫的行列之后随行，是不可以徒步走路的。"

11.9 颜渊死。子曰:"噫^①! 天丧予! 天丧予!"

注释:

①噫(yī):叹词。

译文:

  颜渊死了。孔子说:"咳! 老天爷要我的命! 老天爷要我的命!"

11.10 颜渊死,子哭之恸^①。从者曰:"子恸矣。"曰:"有恸乎? 非夫人之为恸而谁为^②!"

注释:

①恸(tòng):极其悲伤。过度悲伤是不符合礼的,所以有下文的问对。

②夫(fú):指示代词。

译文:

  颜渊死了。孔子为他哭丧,非常悲伤。跟随的人说:"先生悲伤得过度了。"孔子说:"是悲伤过度了吗? 不为这样的人悲痛欲绝,还为谁呢?"

11.11 颜渊死,门人欲厚葬之,子曰:"不可。"门人厚葬之。子曰:"回也,视予犹父也,予不得视犹子也^①。非我也,夫二三子也。"

注释:

①不得视犹子也:孔子对于自己的儿子孔鲤没有违反礼

制而用厚葬,但却不能阻止弟子们违反礼制厚葬颜回,所以说"不得视犹子也"。可参看11.8章。

译文:

　　颜渊死了。孔子的学生们想用厚礼安葬他,孔子说:"不可以。"

　　学生们还是厚葬了颜渊。孔子说:"颜回啊,看待我如同看待父亲那样,我却不能看待他如同看待儿子那样。不是我要这样的呀,是那些学生。"

11.12　季路问事鬼神。子曰:"未能事人,焉能事鬼?"

　　曰:"敢问死①。"曰:"未知生,焉知死?"

注释:

①敢:谦词,表示冒昧。

译文:

　　子路问侍奉鬼神的事。孔子说:"还没有侍奉活人,又怎能侍奉鬼神呢?"

　　子路又说:"冒昧地问一下,死是怎么回事。"孔子说:"还没有好好了解生,又怎么能了解死呢?"

11.13　闵子侍侧,訚訚如也;子路,行行如也①;冉有、子贡,侃侃如也。子乐②。"若由也,不得其死然③。"

注释：

①行行(hàng)：刚强的样子。

②子乐：古注称，因为弟子们都各尽其性，所以孔子非常
高兴。

③不得其死：不能善终，死于非命。

译文：

闵子骞侍奉在孔子身旁，恭敬正直的样子。子路，刚
强的样子。冉有、子贡，和乐的样子。各尽其性，孔子非
常高兴。但又说："像仲由那样，恐怕会死于非命。"

11.14　鲁人为长府①。闵子骞曰："仍旧贯②，
如之何？何必改作？"子曰："夫人不言，言必
有中。"

注释：

①为：指翻修。长府：鲁国藏所的名字。府，收藏财货的
地方。

②贯：事例，常例。

译文：

鲁国人翻修长府。闵子骞说："照老样子，怎么样？
为什么一定要改造呢？"孔子说："这个人不讲话则已，一
讲话一定说中要害。"

11.15　子曰："由之瑟①，奚为于丘之门②？"门
人不敬子路。子曰："由也升堂矣，未入于

室也③。"

注释:

①瑟:古代弦乐器,类似琴。这里指子路弹奏瑟的技巧和
　内容。古注认为:"子路鼓瑟,不合雅颂。"

②为:这里指操琴。

③升堂入室:比喻学问的深入程度。升堂比喻学习已小
　有收获,入室比喻学习已探得精髓。

译文:
　　孔子说:"仲由弹瑟的水平,哪里能在我的门下弹奏
呢?"学生们于是不尊重子路。孔子又说:"仲由嘛,他的
学问可以称得上是登堂了,只是尚未入室罢了。"

11.16　子贡问:"师与商也孰贤?"子曰:"师也
过,商也不及。"

曰:"然则师愈与?"子曰:"过犹不及。"①

注释:

①此章是孔子中庸思想的具体表述,过分和不及都不符
　合中庸的精神,因此都不能肯定。可参6.29章。

译文:
　　子贡问道:"颛孙师和卜商谁好一些?"孔子说:"颛孙
师过头了,卜商则不足。"
　　子贡说:"那么颛孙师强一些吧?"孔子说:"过头与不
足一样不好。"

11.17 季氏富于周公^①,而求也为之聚敛而附益
之^②。子曰:"非吾徒也,小子鸣鼓而攻之,可也!"

注释:

①周公:历来有两种说法:一认为指周公旦,根据是孔子
反对季氏改革税制,加重搜刮,举周公的典章为据(详
注②)。也有人认为是指周公旦的次子及其后代世袭
周公封地在周王朝做卿士的人。两说均可通。

②而求也为之聚敛而附益之:根据《左传》和《国语·鲁语
下》的记载,鲁哀公十一年(公元前484),季康子想按
田亩征赋,派冉有(求)来征求孔子的意见。孔子没有
作正式的答复,私下对冉有说:"君子办事情要根据礼
来衡量,施舍要尽量丰厚,赋税要尽量微薄。如果这
样,那么按丘征税也就够了。如果季孙要合乎法度地
办事,那么有周公的典章在那里;如果他要随便行事,
又征求什么意见呢?"结果季氏没有听从。第二年鲁国
便使用了按田亩征税的制度。

译文:

季氏比周公还富有,而冉求还为他聚集民财增加他
的财富。孔子说:"他不是和我们志同道合的人,后生们
敲起鼓来声讨他是可以的!"

11.18 柴也愚^①,参也鲁^②,师也辟^③,由也喭^④。

注释:

①柴:孔子弟子,姓高,名柴,字子羔。

②鲁：迟钝。

③辟：偏颇，不实在。

④喭(yàn)：粗鲁。

译文：

　　高柴愚直，曾参迟钝，颛孙师偏激，仲由粗鲁。

11.19　子曰："回也其庶乎①！屡空②。赐不受命③，而货殖焉④，亿则屡中⑤。"

注释：

①庶：庶几，差不多。

②空：贫穷且没有生计。

③不受命：历来有几种说法：一认为子贡不受教命，即不专守
　　士业，同时经商，违背士农工商各习其业的原则。一说是不
　　受天命，与颜回的安贫乐道形成对比，也和下文"亿则屡中"
　　相呼应。一说是不受官命而以私财经商，古时商贸都有专
　　门的官吏掌管，再由他们安排百姓具体操作。此说也持之
　　有据。故参考这三种说法译作"不安于本分"。

④货殖：经商，聚集财货经营生利。《史记·货殖列传》
　　说，子贡跟随孔子学习之后，到卫国做官，并在曹国、鲁
　　国之间积聚财货以牟利，成为孔门弟子中最富有的人。

⑤亿：通"臆"，揣度。

译文：

　　孔子说："颜回的学问和道德差不多了，只是贫穷且
没有生计。端木赐不安于本分又去经商，而货财不断增
加，猜测行情常常能猜中。"

11.20　子张问善人之道。子曰："不践迹,亦不入于室①。"

注释:
①入于室:即 11.15 章"登堂入室"的"入室"。

译文:
　　子张问作为善人的准则。孔子说:"不踩着前人的足迹走,但也还没有完全修养到家。"

11.21　子曰："论笃是与①,君子者乎? 色庄者乎②?"

注释:
①论笃是与:此句是"与论笃"的宾语提前形式,"是"字起指示宾语提前的作用。论笃:言语笃实可信。与:赞许。
②色庄:容色庄严。这里指故作姿态,伪装君子,意同"巧言令色,鲜矣仁"(见 1.3 章),和"色取仁而行违"(见 12.20 章)。

译文:
　　孔子又说:"可以称许言语笃实的人。但也要进一步判断,是真正的君子呢? 还是装模作样的伪君子呢?"

11.22　子路问:"闻斯行诸?"子曰:"有父兄在,如之何其闻斯行之?"

　　冉有问:"闻斯行诸?"子曰:"闻斯行之!"

公西华曰:"由也问:'闻斯行诸?'子曰:'有父兄在。'求也问:'闻斯行诸?'子曰:'闻斯行之!'赤也惑,敢问。"子曰:"求也退①,故进之;由也兼人②,故退之。"

注释:

①求也退:指冉求的行动力不足。可参看 6.12 章。

②兼人:倍人。这里指子路勇猛敢为,相当于两个人。

译文:

　　子路问道:"听到以后就去实践它吗?"孔子说:"有父亲和兄长在世,怎么能够听到以后就去实践它呢?"

　　冉有问道:"听到以后就去实践它吗?"孔子说:"听到以后就去实践它。"

　　公西华说:"仲由问道:'听到以后就去实践它吗?'先生说:'有父亲和兄长在世,不能实践它。'冉求问道:'听到以后就去实践它吗?'先生说:'听到以后就去实践它。'一样的问题,给的答案却不同。我疑惑不解,冒昧地问问。"孔子说:"冉求退缩不前,因此教导他要勇于进取;仲由勇猛过人,因此教导他要谦退。"

11.23　子畏于匡①,颜渊后。子曰:"吾以女为死矣。"曰:"子在,回何敢死?"

注释:

①子畏于匡:参看 9.5 章注①。

译文：

　　孔子被围困在匡地，颜渊落在后面。重逢时孔子说："我以为你死了呢。"颜渊说："先生还在，颜回怎敢轻易死呢？"

11.24 季子然问①："仲由、冉求可谓大臣与？"子曰："吾以子为异之问②，曾由与求之问③。所谓大臣者，以道事君，不可则止。今由与求也，可谓具臣矣④。"

　　曰："然则从之者与？"子曰："弑父与君，亦不从也。"

注释：

①季子然：季氏子弟。《史记·仲尼弟子列传》作"季孙"，与此处不同。

②异之问：即"问异"的倒装，问别的。"之"指示宾语"异"为提前宾语。

③曾（zēng）：乃。

④具臣：才具之臣，有才干的办事之臣。

译文：

　　季子然问道："仲由、冉求可以称得上是大臣吗？"孔子说："我以为您问的是别人呢，原来是问仲由和冉求啊。所谓大臣，用道义来侍奉君主，不可谏阻的话，就不干了。现在仲由和冉求，可以称得上是有才干的办事之臣了。"

　　季子然又说："那么，他们是完全服从上级的人吗？"

孔子说："如果上级弑父弑君，也不会服从的。"

11.25　子路使子羔为费宰。子曰："贼夫人之子①。"

子路曰："有民人焉，有社稷焉。何必读书，然后为学？"

子曰："是故恶夫佞者②。"

注释：

①贼：害。古注以为："子羔学未熟习而使为政，所以为贼害。"

②恶(wù)：厌恶。佞(nìng)：有口才，能说善道，多用作贬义。

译文：

子路让子羔做费邑的长官。孔子说："这是坑害别人的儿子。"

子路说："有老百姓在那里，有土神谷神在那里。为什么一定要读书，然后才算学习了呢？"

孔子说："因为这我才讨厌那些能言善辩的人。"

11.26　子路、曾皙、冉有、公西华侍坐①。

子曰："以吾一日长乎尔，毋吾以也！居则曰②：'不吾知也！'如或知尔，则何以哉③？"

子路率尔而对曰④："千乘之国，摄乎大国之间⑤，加之以师旅，因之以饥馑⑥，由也为之，比及三年⑦，可使有勇，且知方也⑧。"

夫子哂之⑨。

"求，尔何如？"

对曰："方六七十⑩，如五六十⑪，求也为之，比及三年，可使足民。如其礼乐，以俟君子⑫。"

"赤，尔何如？"

对曰："非曰能之，愿学焉！宗庙之事，如会同，端章甫⑬，愿为小相焉⑭。"

"点，尔何如？"

鼓瑟希⑮，铿尔⑯，舍瑟而作⑰。对曰："异乎三子者之撰⑱！"

子曰："何伤乎？亦各言其志也。"

曰："莫春者⑲，春服既成⑳，冠者五六人㉑，童子六七人㉒，浴乎沂㉓，风乎舞雩㉔，咏而归。"

夫子喟然叹曰："吾与点也㉕。"

三子者出，曾晳后。曾晳曰："夫三子者之言何如？"

子曰："亦各言其志也已矣。"

曰："夫子何哂由也？"

曰："为国以礼，其言不让，是故哂之。"

"唯求则非邦也与㉖？"

"安见方六七十如五六十而非邦也者㉗？"

"唯赤则非邦也与？"

"宗庙会同，非诸侯而何？赤也为之小㉒，孰能为之大？"

注释：

①曾皙(xī)：孔子弟子。名点，曾参的父亲。

②居：平时，平常。

③何以：何用，何为。

④率：轻率。

⑤摄：夹处。

⑥饥馑(jǐn)：灾荒，收成不好。

⑦比及：等到。

⑧方：义。

⑨哂(shěn)：微笑。

⑩方六七十：古代计量土地面积的方法，指六七十里
见方。

⑪如：或。

⑫俟(sì)：等候。

⑬端：玄端，古代礼服之名。章甫：古代礼帽之名。这里
都用作动词。

⑭相(xiàng)：赞礼之人，即司仪。

⑮希："稀"的古体字。

⑯铿(kēng)：象声词。

⑰作：站起来。

⑱撰：述。

⑲莫："暮"的古体字。

⑳春服：夹衣。

㉑冠者：成人。古人二十岁开始戴冠，行冠礼，以示成人。

㉒童子：指成童，年十五以上，二十以下。

㉓沂（yí）：水名。源出山东邹县东北，西经曲阜与洙水汇合，流入泗水。

㉔舞雩（yú）：雩，祭天求雨。雩祭有歌舞，故称舞雩。

㉕与：赞同。

㉖唯：句首语气词，无义。

㉗安：疑问代词，怎么。

㉘之：其。

译文：

　　子路、曾皙、冉有、公西华陪坐在孔子身旁。

　　孔子说："因为我比你们年长一些，不要因我而感到拘束。你们平日里总是说：'不了解我啊！'如果有人了解你们，那么会怎样做呢？"

　　子路轻率地回答说："拥有一千辆兵车的国家，局促地处在大国之间，外有军事威胁，国内又发生灾害饥荒。我去治理它，等到三年，可以让民众勇敢有力，而且明白道理。"

　　孔夫子微微一笑。

　　孔子问："冉求，你怎么样？"

　　冉求回答说："国土纵横六七十里，或者五六十里的小国，我去治理它，等到三年，可以让百姓富足。至于礼乐教化，有待君子来推行。"

　　又问："公西赤，你怎么样？"

　　公西华回答说："不敢说能干什么，愿意学习。宗庙祭祀的事，或者会见外国的仪式，穿好礼服戴着礼帽，愿做一个小司仪。"

　　又问："曾点，你怎么样？"

　　曾皙正在弹瑟，瑟声渐渐稀落，铿的一声，放下瑟站起来，回答说："我的志向不同于前面三位所讲的。"

孔子说："有什么妨碍呢？也不过是各自说出自己的志向。"

曾皙说："暮春时节，春服已经穿好，会同五六个青年，六七个少年，在沂水里洗洗澡，在舞雩坛上吹吹风，然后唱着歌归来。"

孔夫子长叹一声说："我赞赏曾点的志向。"

子路、冉有、公西华三人出去了，曾皙留在最后。曾皙向孔子问道："他们三人的话怎么样？"

孔子说："也不过是各自说出自己的志向罢了。"

曾皙说："老师为什么笑仲由呢？"

孔子说："治理国家需要礼让，他出言一点也不谦让，所以笑他。"

曾皙说："难道冉求讲的就不是国家吗？"

孔子说："怎么见得国土纵横六七十里或者五六十里的就不是国家呢？"

曾皙说："难道公西赤讲的就不是国家吗？"

孔子说："有宗庙祭祀，有外交会见，不是诸侯国的事又是什么？公西赤只做个小司仪的话，谁还能做大司仪呢？"

颜渊第十二

　　本篇分为二十四章。12.1－12.3、12.22 章论仁：提出约束自身、遵守礼制、言语谨慎、积极行动、博爱大众、选贤使能等要求。12.4－12.5章论君子。12.6 章论明察。12.7 章强调取信于民的重要。12.8 章主张文饰与美质要相得益彰。12.9 章提出先富民，民富则君足。12.10、12.21章论及提高道德、明辨疑惑、消除邪恶的途径。12.11 章提出要整顿宗法等级制度。12.13 章提出没有纷争诉讼的治世理想。12.14 章指出治政要勤勉忠诚。12.16 章指出君子与小人的区别。12.17－12.19 章主张当政者要率先行正道，不贪求，行德政。12.20 章区别有声闻与真通达。12.23－12.24 章讲交友的办法。

12.1　颜渊问仁。子曰:"克己复礼为仁①。一日克己复礼,天下归仁焉②。为仁由己,而由人乎哉?"

颜渊曰:"请问其目。"子曰:"非礼勿视,非礼勿听,非礼勿言,非礼勿动。"

颜渊曰:"回虽不敏,请事斯语矣③!"

注释:

①克己复礼:可与"约之以礼"(见6.27章)、"约我以礼"(见9.11章)等说参看。克,克制,约束。复,返。

②归:称,赞许。

③事:作,从事于。

译文:

颜渊问什么是仁。孔子说:"约束自己而遵守礼的规定就是仁。一旦能做到约束自己而遵守礼的规定,天下人就会用仁来称赞他。修行仁德全靠自己,难道是靠别人吗?"

颜渊说:"请问修行仁德的具体细节。"孔子说:"不符合礼的事不要看,不符合礼的话不要听,不符合礼的话不要说,不符合于礼的事不要做。"

颜渊说:"我虽然不聪敏,请让我按照这话去做吧。"

12.2　仲弓问仁。子曰:"出门如见大宾,使民如承大祭。己所不欲,勿施于人。在邦无怨,在家无怨①。"

仲弓曰："雍虽不敏,请事斯语矣!"

注释:

①家:指大夫的采邑。

译文:

　　仲弓问什么是仁。孔子说："出门在外要像接待贵宾一样敬慎,役使老百姓要像承当重大祭典一样小心。自己不喜欢的事务,就不要强加给别人。在诸侯国里做官不会招致怨恨,在大夫的采邑里做官也不会招致怨恨。"

　　仲弓说："我虽然不聪敏,请让我按照这话去做吧。"

12.3　司马牛问仁①。子曰："仁者,其言也讱②。"

曰："其言也讱,斯谓之仁已乎?"子曰："为之难,言之得无讱乎?"

注释:

①司马牛:孔子弟子。姓司马,名耕,字子牛。根据《史记·仲尼弟子列传》的记载,司马耕是个话多且急脾气的人,所以孔子对他有这样的教导。

②讱(rèn):说话迟钝。

译文:

　　司马牛问什么是仁。孔子说："仁人,他说话很迟钝。"

　　司马牛又问:"言语迟钝,这就能叫做仁了吗?"孔子说:"做到很难,说出来时能不迟钝吗?"

12.4　司马牛问君子。子曰："君子不忧不惧。"
曰："不忧不惧，斯谓之君子已乎?"子曰:
"内省不疚，夫何忧何惧?"

译文:

　　司马牛问什么是君子。孔子说:"君子不忧愁不
恐惧。"
　　司马牛又问:"不忧愁不恐惧，这就能叫做君子了
吗?"孔子说:"反省自身不会因为有错而感到悔恨,那忧
愁什么,惧怕什么呢?"

12.5　司马牛忧曰:"人皆有兄弟，我独亡!"子
夏曰:"商闻之矣:死生有命，富贵在天。君子敬
而无失，与人恭而有礼,四海之内,皆兄弟也。
君子何患乎无兄弟也?"①

注释:
①此章反映子夏对命定论的小突破，即强调事在人为,仁
　德之人有可能改变命定的不利。

译文:

　　司马牛忧愁地说:"别人都有兄弟，唯独我没有。"子
夏说:"我听过这样的话:死生有命，富贵在天。君子敬慎
而没有过失，待人恭敬而讲礼节,四海以内的人都会是他
的兄弟。君子为什么要担忧没有兄弟呢?"

12.6　子张问明①。子曰:"浸润之谮②,肤受之愬③,不行焉,可谓明也已矣。浸润之谮,肤受之愬,不行焉,可谓远也已矣。"

注释:

①明:明察。

②谮(zèn):诬陷,说人坏话。

③愬(sù):诽谤。

译文:

　　子张问怎样才算是明察。孔子说:"像水那样慢慢渗透的谗言,有切肤之痛的诽谤,在你那里行不通,可以称得上明察了。像水那样慢慢渗透的谗言,有切肤之痛的诽谤,在你那里行不通,可以称得上有远见卓识了。"

12.7　子贡问政。子曰:"足食,足兵①,民信之矣。"

　　子贡曰:"必不得已而去,于斯三者何先?"曰:"去兵。"

　　子贡曰:"必不得已而去,于斯二者何先?"曰:"去食。自古皆有死,民无信不立。"

注释:

①兵:兵器。

译文:

　　子贡问怎样去治理国政。孔子说:"备足粮食,充实军备,取信于民。"

　　子贡说:"如果迫不得已要去掉一个,在这三者中先去掉哪个?"孔子说:"去掉军备。"

　　子贡说:"如果迫不得已还要去掉一个,在这二者中先去掉哪个?"孔子说:"去掉粮食。没有粮食顶多是饿死,但自古以来人都难免会死去。如果老百姓对政府没有信任,国家根本无法存在。"

12.8　棘子成曰[①]:"君子质而已矣,何以文为?"子贡曰:"惜乎! 夫子之说君子也。驷不及舌[②]。文犹质也,质犹文也。虎豹之鞟犹犬羊之鞟[③]。"

注释:

①棘子成:卫国大夫。古代的大夫都可以被尊称为"夫子",所以子贡这样称呼他。

②驷(sì):四匹马。古时四匹马驾一辆车。

③鞟(kuò):去毛的皮。这里用有花纹的毛色比喻文,用去毛的皮比喻质。

译文:

　　棘子成说:"君子有美好的本质也就罢了,要文饰有什么用呢?"子贡说:"可惜啊,先生你竟这样来解说君子! 一言出口,驷马难追。文饰如同本质一样重要,本质如同文饰一样重要。如果去掉有不同花色的毛,虎豹的皮就和犬羊的皮没有区别了。"

12.9　哀公问于有若曰："年饥,用不足,如之何?"

有若对曰："盍彻乎^①?"

曰："二^②,吾犹不足,如之何其彻也?"

对曰："百姓足,君孰与不足?百姓不足,君孰与足?"

注释:

①盍(hé):何不。彻:周代的田赋制度,十分取一。

②二:指十分取二。晚周开始实行什二之税。起始有二说:一说始于鲁宣公十五年(公元前594)的"初税亩";另一说始于鲁哀公十二年"用田赋"(见 11.17 章注②),即在什一税之外另加军赋,遂成什二。

译文:

鲁哀公问有若说:"年景不好,用度不足,怎么办?"

有若答道:"为什么不用十分取一的田赋方式呢?"

鲁哀公说:"用十分取二的田赋方式,我还感到不足,怎么能用十分取一的方式呢?"

有若答道:"老百姓富足了,您和谁会不富足呢?老百姓不富足,您和谁会富足呢?"

12.10　子张问崇德、辨惑。子曰:"主忠信,徙义,崇德也。爱之欲其生,恶之欲其死;既欲其生,又欲其死,是惑也。'诚不以富,亦祇以异^①。'"

①诚不以富,亦祇以异:《诗经·小雅·我行其野》中的句子。在这里是何意很难解释,大概是因竹简编次颠倒而造成的文字错乱。参见16.12章。

译文：

　　子张问什么是崇德、什么是辨惑。孔子说:"以忠诚信实为主,跟从义的指示,这就是崇德。喜爱一个人就希望他活着,厌恶一个人就希望他死去。既想要他活,又想要他死,这就是疑惑。《诗经》里说的:'真的不是因为富足,只是因为不同。'"

12.11　齐景公问政于孔子①,孔子对曰:"君君、臣臣、父父、子子。"公曰:"善哉! 信如君不君,臣不臣、父不父、子不子,虽有粟,吾得而食诸?"

注释：

①齐景公:姓姜,名杵臼(chǔjiù)。公元前547－前490年间在位。"景"是谥号。

译文：

　　齐景公向孔子询问国政的事。孔子答道:"君主要像君主的样,臣子要像臣子的样,父亲要像父亲的样,儿子要像儿子的样。"景公说:"好极了! 的确啊,如果君主不像君主的样,臣子不像臣子的样,父亲不像父亲的样,儿子不像儿子的样,即使有粮食,我能吃得着吗?"

12.12　子曰："片言可以折狱者^①，其由也与！"
子路无宿诺^②。

注释：

①片言：片面之辞，即打官司时原告与被告两方面中的一面之辞。

②宿诺：久未履行的诺言。

译文：

孔子说："可以跟据片面之辞断案的人，大概就是仲由吧？"

子路没有久未履行的诺言。

12.13　子曰："听讼^①，吾犹人也。必也使无讼乎！"

注释：

①听讼：听诉讼以判案。

译文：

孔了说："听讼判案，我跟别人的本事差不多。一定要让人们没有诉讼才好！"

12.14　子张问政。子曰："居之无倦，行之以忠。"

译文：

子张询问国政的事。孔子说："在位不要疲倦懈怠，执行政令要忠诚。"

12.15 子曰："博学于文，约之以礼，亦可以弗畔矣夫！"①

注释：

①此章已见于6.27章。

译文：

孔子说："君子广泛地学习历史文献，并且用礼来约束自己，也就可以不至于离经叛道了。"

12.16 子曰："君子成人之美，不成人之恶；小人反是。"

译文：

孔子说："君子成就别人的好事，不成全别人的坏事。小人与此相反。"

12.17 季康子问政于孔子。孔子对曰："政者，正也。子帅以正，孰敢不正？"①

注释：

①此章反映孔子主张当政者要以身作则，正道而行。可

参看 12.18。

译文：

　　季康子向孔子询问国政的事。孔子回答道："政字的意思就是端正。您带头端正自己的行为，谁敢不端正呢？"

12.18　季康子患盗，问于孔子。孔子对曰："苟子之不欲，虽赏之不窃。"

译文：

　　季康子苦于盗贼太多，向孔子询问对策。孔子说："假如您不贪求财物，即使奖励他们盗窃，他们也不会盗窃。"

12.19　季康子问政于孔子曰："如杀无道①，以就有道②，何如？"孔子对曰："子为政，焉用杀？子欲善而民善矣！君子之德，风；小人之德，草；草上之风③，必偃④。"

注释：

①无道：指无道之人。

②就：靠近。

③上：加。

④偃(yǎn)：倒下。比喻被折服，被感化。

译文：

　　季康子向孔子询问国政的事，说："如果杀掉坏人，来亲近好人，怎么样？"孔子回答道："您治理国政，为什么要用杀戮？您喜欢从善，那么老百姓也就喜欢从善了。君子的道德就像风，小人的道德就像草。草受到风，一定会随风倒伏。"

12.20　　子张问："士何如斯可谓之达矣^①?"子曰："何哉，尔所谓达者？"子张对曰："在邦必闻，在家必闻。"子曰："是闻也，非达也。夫达也者，质直而好义，察言而观色，虑以下人。在邦必达，在家必达。夫闻也者，色取仁而行违，居之不疑。在邦必闻，在家必闻。"

注释：

①达：通达。

译文：

　　子张问道："士怎样才可以称得上通达呢？"孔子说："你所说的达是什么意思？"子张回答道："在诸侯国做官一定要有声望，在大夫的采邑做官一定要有声望。"孔子说："这是闻，不是达。至于达，品质正直，追求正义，考察别人的言语，观察别人的容色，总是自觉地谦让别人。那么，在诸侯国做官定能通达，在大夫的采邑做官也能通达。至于闻，表面上装出有仁德的样子，实际行动却违背仁德，还以仁人自居，从不怀疑自己。那么，在诸侯国做官一定会有名声，在大夫的采邑做官也一定会有名声。"

12.21　樊迟从游于舞雩之下，曰："敢问崇德、修慝①、辨惑。"子曰："善哉问！先事后得，非崇德与？攻其恶②，无攻人之恶，非修慝与？一朝之忿，忘其身以及其亲，非惑与？"

注释：

①修：整治使消除。慝(tè)：邪恶。

②攻：批判，指责。其：指代自己。

译文：

樊迟随从孔子在舞雩台下闲游，说："冒昧请问怎样提高道德，消除邪恶，辨明迷惑。"孔子说："问得好啊！先去做，然后有所获，不是提高道德的方法吗？批判自己的错误，不要批判别人的错误，不是消除邪恶的方法吗？由于一时的忿怒，忘掉自身的安危甚至连累自己的父母，不是迷惑吗？"

12.22　樊迟问仁。子曰："爱人。"问知①。子曰："知人。"

樊迟未达。子曰："举直错诸枉②，能使枉者直。"

樊迟退，见子夏，曰："嚮也吾见于夫子而问知③，子曰：'举直错诸枉，能使枉者直'，何谓也？"

子夏曰："富哉言乎！舜有天下，选于众，举皋陶④,不仁者远矣。汤有天下⑤,选于众,举伊尹⑥,不仁者远矣。"

注释:

①知:"智"的古体字。

②错:"措"的古体字,放置。

③镝(xiàng):"向"的古体字,往时。

④皋陶(gāoyáo):舜时掌管刑法的官。

⑤汤:商族首领,伐夏桀灭夏,建立商朝。舜、汤是儒家称颂的圣王。

⑥伊尹:曾助汤灭夏建立商朝。汤死后,又辅佐二王。皋陶、伊尹是儒家称赞的贤臣。

译文:

樊迟问什么是仁。孔子说:"爱人。"又问什么是智?孔子说:"知人。"

樊迟不明白是什么意思。孔子说:"选拔正直之人,把他们放在邪曲之人上面,能使邪曲之人正直起来。"

樊迟退出来,见到子夏,说:"刚才我见到老师,询问什么是智,老师说:'选拔正直之人,把他们放在邪曲之人上面,能使邪曲之人正直起来。'这话说的是什么?"

子夏说:"这话多么富有寓意呀!舜得了天下,在众人中选拔人才,选择了皋陶,不仁的人纷纷远离而去。汤得了天下,在众人中选拔人才,选择了伊尹,不仁的人纷纷远离而去。"

12.23 子贡问友。子曰:"忠告而善道之①,不可则止，毋自辱焉。"

注释：

①道（dǎo）："导"的古体字。

译文：

　　子贡问交友之道。孔子说："忠心地劝告他，好好地劝导他，不听就作罢，不要自讨羞辱。"

12.24　曾子曰："君子以文会友，以友辅仁①。"

注释：

①以友辅仁：与有仁德的人交往，同时成就自己的仁德。参见15.10章。

译文：

　　曾子说："君子用文章学问来聚会朋友，用朋友来辅助自己修养仁德。"

子路第十三

本篇分为三十章。以论政的内容为主：
13.1、13.2、13.6、13.13 章主张治政者应首先正
己，以身作则、宽以待人、举用贤才；13.3、13.14
章要求恢复既有的名物制度；13.4 章提出执政者
要讲究礼节、遵循道义、谨守信用；13.7 章表达对
鲁国卫国政治的期待；13.9 章提出富民而后教民
的教化思想；13.10 章反映孔子渴望用世的心愿；
13.11 章反映孔子不事刑罚的治世主张；13.15
章要求国君务必行事谨慎，切忌妄为；13.16 章提
出悦近来远的人民政策；13.17 章指出治政不可
急功近利。13.5 章指出读《诗》之于从政的用途。
13.8 章评价人物。13.18 章反映孔子的正直观
以符合孝悌的规定为条件。13.19、13.27 章说明
仁德的特质。13.20、13.28 章对士人提出道德的
要求。13.21 章肯定勇于进取和洁身自好两种作
风。13.22 章指出恒心的重要性。13.23、13.25 -
13.26 章指出君子与小人的区别。13.24 章反映
孔子的好恶标准。13.29、13.30 章反映孔子的战
争观。

13.1　子路问政。子曰："先之^①，劳之^②。"请益^③，曰："无倦。"

注释：

①先：率先。之：指代老百姓。"先之"是说当政者要做老百姓的表率。可参见 12.17、13.6 章。

②劳：役使。

③益：增加。

译文：

　　子路询问国政的事。孔子说："自己要先于百姓行动，然后再劳动百姓。"子路请求再多讲一些。孔子说："永远不要倦怠。"

13.2　仲弓为季氏宰，问政。子曰："先有司，赦小过，举贤才。"

　　曰："焉知贤才而举之？"子曰："举尔所知。尔所不知，人其舍诸？"

译文：

　　仲弓做季氏的家臣，向孔子询问从政的事。孔子说："给办事人员做表率，宽免别人小的过失，选拔贤良人才。"

　　仲弓又说："怎么样识别贤良人才而任用他们呢？"孔子曰："任用你所了解的。你不了解的那些人，别人难道会把他们舍弃吗？"

13.3　子路曰:"卫君待子而为政①,子将奚先②?"

子曰:"必也正名乎③!"

子路曰:"有是哉,子之迂也!奚其正?"

子曰:"野哉,由也!君子于其所不知,盖阙如也。名不正,则言不顺;言不顺,则事不成;事不成,则礼乐不兴;礼乐不兴,则刑罚不中;刑罚不中,则民无所错手足。故君子名之必可言也,言之必可行也。君子于其言,无所苟而已矣④!"

注释:

①卫君:指卫出公。卫灵公的宠妃南子(见6.28章),驱逐世子蒯聩(kuǎikuì),立自己的儿子辄(zhé)为出公。

②奚:何。

③名:名称,名义,名分。春秋末叶,礼制遭到破坏,名称、名义、名分混乱,与原有的规定不相副,因此孔子希望从恢复旧有的名物制度做起。具体事例可参看13.14、16.14章。

④苟:不严肃。

译文:

子路说:"如果卫君等待先生去治理国政,先生将先做什么?"

孔子说:"一定是纠正混乱的名称。"

子路说:"先生的迂阔竟然如此严重!有什么可纠正的?"

孔子说:"粗鲁啊!子由!君子对他不了解的事情,大概应该避而不谈吧。混乱的名称不得到纠正,那么说话就不顺当;说话不顺当,那么事情就办不成;事情办不成,那么礼乐就不能兴起;礼乐不能兴起,那么刑罚就不能适中;刑罚不能适中,那么老百姓都不知道把手脚放在哪里。因此君子对于正确的名称一定可以顺当说出来,顺当说出来的事情一定可以行得通。君子对于自己的言语,没有不严肃的地方才算罢了。"

13.4　樊迟请学稼。子曰:"吾不如老农。"请学为圃①。曰:"吾不如老圃。"

樊迟出。子曰:"小人哉,樊须也!上好礼,则民莫敢不敬;上好义,则民莫敢不服;上好信,则民莫敢不用情②。夫如是,则四方之民襁负其子而至矣③,焉用稼?"

注释:

①圃:种植果木瓜菜的园子。

②情:实。

③襁(qiǎng):背负婴儿用的宽带。

译文:

樊迟请求学习种庄稼。孔子说:"我不如经验丰富的老农民。"又请求学习种菜。孔子说:"我不如经验丰富的老菜农。"

樊迟退出。孔子说:"樊迟真是个干粗活的人啊!居上位的人讲究礼节,老百姓就没有人敢不尊敬;居上位的人喜欢道义,老百姓就没有人敢不服从;居上位的人讲信用,老百姓就没有人敢不实在。若能如此,那么四方的老百姓就会背负着襁褓中的子女来投靠了,哪里用得着亲自种庄稼呢?"

13.5　子曰:"诵《诗》三百,授之以政^①,不达^②;使于四方,不能专对^③;虽多,亦奚以为?"

注释:

①授之以政:孔子认为《诗》可以兴、观、群、怨、事父、事君(见17.9章),因此与从政有关。

②达:通晓。

③专对:独立应对。春秋时期,外交辞令多称引《诗经》中的章句以表达某种主张,即所谓"赋诗言志"。

译文:

　　孔子说:"诵读《诗经》三百余篇,授与他政事,却不通晓;到四方出使,却不能独立应对;即使读得多,又有什么用呢?"

13.6　子曰:"其身正,不令而行;其身不正,虽令不从。"^①

注释：

①此章表达孔子要求统治阶层的人要以身作则，行动的
示范作用比政令更加有效。可参看 12.17、13.1、
13.2、13.13 等章。

译文：

孔子说："统治者自身端正，即使不下命令，事情也能
行得通；统治者自身不端正，即使下了命令，老百姓也不
会听从。"

13.7　子曰："鲁卫之政，兄弟也①。"

注释：

①兄弟：像兄弟一样相近。鲁国是周公的封地，卫国是康
叔的封地。周公、康叔则是兄弟，都从周天子那里接受
了先进的礼乐文化以治理国家；且两人非常和睦，因此
说两国之政也和兄弟一样相近。

译文：

孔子说："鲁国、卫国的政治，像兄弟一样相近。"

13.8　子谓卫公子荆①："善居室②。始有，曰：
'苟合矣③！'少有④，曰：'苟完矣。'富有，曰：'苟
美矣。'"

注释：

①卫公子荆：卫国的公子，被认为是有道德的人。《左

传·襄公二十九年》记载：吴国的公子季札到卫国访问，见到卫国的众多贤人，说："卫国的君子很多，不会有祸患。"其中就包括公子荆。

②居室：积蓄家业过日子。

③苟：诚然，实在是。合：给，足。

④少：稍微。

译文：

孔子评论卫国的公子荆，说："他善于持家过日子。刚有一点财产，便说：'实在是足够了。'稍微增加一些，便说：'实在是太完备了。'富有以后，便说：'实在是太华美了。'"

13.9 子适卫，冉有仆①。子曰："庶矣哉②！"冉有曰："既庶矣，又何加焉？"曰："富之。"曰："既富矣，又何加焉？"曰："教之。"

注释：

①仆：驾驭马车。

②庶：众多。

此章反映孔子主张在富民的基础上进行教化。

译文：

孔子到卫国，冉有给他驾车。孔子说："人口好多啊！"

冉有说："人口已经很多了，又能采取什么措施呢？"孔子说："让百姓富裕起来。"

冉有又说："已经富裕起来了，又能采取什么措施呢？"孔子说："教育他们。"

13.10　子曰："苟有用我者,期月而已可也①,三年有成。"

注释:

①期(jī)月:一年的月份周而复始,即一整年。期,周期。

译文:

　　孔子说:"如果有人用我来治理国家,只需一年就能治理得差不多,三年就能卓有成效。"

13.11　子曰："'善人为邦百年,亦可以胜残去杀矣。'诚哉是言也!"①

注释:

①此章反映孔子治政不用刑戮的倾向。可参看12.19章。

译文:

　　孔子说:"'善人治理国家一百年,也可以克服残暴消除杀戮了。'这话说得真对呀!"

13.12　子曰："如有王者,必世而后仁①。"

注释:

①世:三十年为一世。

译文:

　　孔子说:"如果有称王天下的人出现,也一定要经过三十年才能使仁德普行。"

13.13　子曰："苟正其身矣,于从政乎何有?不能正其身,如正人何!"

译文:

孔子说:"如果端正了自身的行为,对于参政治国有什么困难的? 不能端正自身的行为,怎么能去端正别人呢?"

13.14　冉子退朝①。子曰："何晏也②?"对曰："有政。"子曰："其事也。如有政,虽不吾以③,吾其与闻之④。"

注释:

①朝:指季氏的私朝。身为家臣的冉有不能朝见国君。
②晏:晚。
③不吾以:即"不以吾"的倒装。
④与(yù):参与。

译文:

冉有从季氏的内朝回来。孔子说:"为什么这样晚呢?"回答说:"有政务。"孔子说:"那是事务呀。如果有政务,即使不用我了,我也该知道的。"

13.15　定公问："一言而可以兴邦,有诸?"

孔子对曰:"言不可以若是。其几也①,人之言曰:'为君难,为臣不易。'如知为君之难也,不几乎一言而兴邦乎!"

曰:"一言而丧邦,有诸?"

孔子对曰:"言不可以若是。其几也,人之言曰:'予无乐乎为君。唯其言而莫予违也。'如其善而莫之违也,不亦善乎! 如不善而莫之违也,不几乎一言而丧邦乎!"

注释:

①几:近。

译文:

鲁定公问道:"一句话就可以使国家兴旺,有这样的话吗?"

孔子回答说:"言语不可能像这样起作用。跟这相近的情况是,人们常说:'做君主难,做臣下也不容易'。如果知道做君主的难处是什么,不是接近于一句话就会使国家兴旺吗?"

鲁定公又说:"一句话就可以使国家丧亡,有这样的话吗?"

孔子回答说:"言语不可能像这样起作用。跟这相近的情况是,人们常说:'作为君主我没有什么快乐的,只有一点,就是无论我说什么话都没有人违抗我。'如果说的话正确而没有人违抗他,不也是很好的吗? 如果说的话不正确而没有人违抗他,不是接近于一句话就会使国家丧亡吗?"

13.16 叶公问政。子曰:"近者说①,远者来。"

注释:

①说:"悦"的古体字。

译文:

　　叶公询问国政的事。孔子说:"境内的人使他们高兴,远方的人使他们来归。"

13.17 子夏为莒父宰①,问政。子曰:"无欲速,无见小利。欲速则不达,见小利则大事不成。"

注释:

①莒父:鲁国邑名,现已不能确定其地所在。《山东通志》认为在今山东高密县东南。

译文:

　　子夏做莒父的长官,询问治政之事。孔子说:"不要图快,不要只看见小利。图快,反而不能达到目的;只看见小利,那么大事就不能成功。"

13.18 叶公语孔子曰①:"吾党有直躬者②,其父攘羊③,而子证之④。"孔子曰:"吾党之直者异于是。父为子隐,子为父隐,直在其中矣。"

注释:

①语(yù):告诉。

②直躬：以直道立身行事。

③攘（ráng）：偷窃。

④证：告发。

译文：

　　叶公告诉孔子说："我们乡党有个行事正直的人，他父亲偷了别人的羊，他告发了父亲。"孔子说："我们乡党中正直的人与此不同：父亲为儿子隐瞒，儿子为父亲隐瞒，正直也就在里面了。"

13.19　樊迟问仁。子曰："居处恭，执事敬，与人忠；虽之夷狄①，不可弃也。"

注释：

①之：到。

译文：

　　樊迟问什么是仁。孔子说："生活起居要端庄有礼，办事要认真严肃，待人要诚心实意。即使是到了落后的夷狄之国，也不可放弃这些。"

13.20　子贡问曰："何如斯可谓之士矣？"子曰："行己有耻，使于四方，不辱君命，可谓士矣。"

　　曰："敢问其次。"曰："宗族称孝焉，乡党称弟焉。"

　　曰："敢问其次。"曰："言必信，行必果，硁硁然小人哉①！抑亦可以为次矣②。"

曰："今之从政者何如?"子曰："噫! 斗筲之人③,何足算也④!"

注释:

①硁硁(kēng):固执的样子。孔子曾说:"信近于义,言可复也"(见1.13章),可知符合道义是信守承诺的基础。

②抑:连词,表示转折。

③斗筲(shāo)之人:比喻器量狭小的人。筲,竹质容器,容量为二升。

④算:数。

译文:

子贡问道:"怎样才可以称得上是士?"孔子说:"用羞耻心来约束自己的行为,出使外国,能不使君命受辱,便可以称得上是士了。"

子贡说:"冒昧地请问次一等的。"孔子说:"宗族称赞他孝顺父母,乡党称赞他尊敬兄长。"

子贡说:"冒昧地请问再次一等的。"孔子说:"说话一定信实,做事一定果敢,固执而不懂得权变的小人呀! 不过也可算是再次一等的士了。"

子贡又说:"现在执政的那些人怎么样?"孔子说:"咳! 这些器量狭小的人,哪里能算数呢?"

13.21 子曰:"不得中行而与之①,必也狂狷乎②! 狂者进取,狷者有所不为也。"

注释：

① 中行：依中庸之道而行。与：党与。

② 狂：勇于进取。狷(juàn)：洁身自好。

译文：

孔子说："如果不能得到按中庸原则行事的人与他结交的话，那一定要结交狂与狷这两类人！狂者肯于进取，狷者不肯做坏事。"

13.22 子曰："南人有言曰：'人而无恒①，不可以作巫医②。'善夫！"

"不恒其德，或承之羞。"③ 子曰："不占而已矣。"

注释：

① 无恒：古人认为没有恒心是不吉利的（《周易·益卦·上九爻辞》："立心勿恒，凶。"），因此不能充当治病的巫医。

② 巫医：上古时期常用巫师祝祷的方式为人治病，医和巫集于一人之身，故称巫医。

③ 不恒其德，或承之羞：《周易·恒卦·九三爻辞》中的句子。

译文：

孔子说："南方人有句话说：'人如果没有恒心，不可以做巫医。'这话太好啦！"

《周易·恒卦》中有这样的话："不持守德行，有可能受到羞辱。"孔子说："这是告诉不持守德行的人不要去占卜罢了。"

13.23 子曰:"君子和而不同①,小人同而不和。"

注释:

①和:和谐,即指有区别的部分能够实现矛盾的统一。同:等同,即整齐划一、毫无区别。孔子所理解的区别是等级制度上的区别,他理想的社会状态是等级制度不被破坏,大家都能在等级体系中安于自己的名分从而达到和谐相处;反对取消等级的混同。

译文:

孔子说:"君子是和谐而不是等同,小人是等同而不是和谐。"

13.24 子贡问曰:"乡人皆好之,何如?"子曰:"未可也。"

"乡人皆恶之,何如?"子曰:"未可也。不如乡人之善者好之,其不善者恶之。"①

注释:

①此章反映孔子的好恶有是非标准,既不称赞貌似忠厚的"乡原"之人,也不埋没因为正道直行而得罪他人的正义之士。可参见 4.3、15.28、17.13 章。

译文:

子贡问道:"乡人都喜欢他,怎么样?"孔子说:"还不行。"

　　子贡又问："乡人都厌恶他,怎么样?"孔子说:"还不行。不如乡人中的好人喜欢他,乡人中的坏人厌恶他。"

13.25　子曰:"君子易事而难说也①。说之不以道,不说也;及其使人也,器之②。小人难事而易说也。说之虽不以道,说也;及其使人也,求备焉。"

注释:

①事:侍奉。说:"悦"的古体字。

②器:量才而用。

译文:

　　孔子说:"君子容易在他手下做事,却难于讨他喜欢。讨他喜欢的方法不正当的话,他是不会喜欢的;等到他使用别人时,总是量才而用。小人难于在他手下做事,却容易讨他喜欢。讨他喜欢的方法即使不正当,他也会喜欢;等到他使用别人时,总是求全责备。"

13.26　子曰:"君子泰而不骄,小人骄而不泰①。"

注释:

①泰:安详坦然。

译文:

　　孔子说:"君子安详坦然,却不骄傲自大;小人骄傲自大,却不安详坦然。"

13.27 子曰：“刚、毅、木、讷①，近仁。”

注释：

①毅：果敢。木：质朴。讷(nè)：言语迟钝。

译文：

孔子说：“刚强、果敢、朴实、慎言，这四种品质都近于仁。”

13.28 子路问曰：“何如斯可谓之士矣？”子曰：“切切偲偲①、怡怡如也②，可谓士矣。朋友切切偲偲，兄弟怡怡。”

注释：

①切切偲偲(sī)：切磋勉励。切切，责勉。偲偲，互相勉励监督。

②怡怡：和顺的样子。

译文：

子路问道：“怎样才可以称得上是士？”孔子说：“互相勉励监督，和睦相处，可以称得上是士了。朋友之间互相勉励监督，兄弟之间和睦相处。”

13.29 子曰：“善人教民七年，亦可以即戎矣①。”

注释：

①即戎：参军作战。即，就。戎，兵事。

译文：

　　孔子说："善人教育人民达七年之久,也就可以让他们参军作战了。"

13.30　子曰："以不教民战①,是谓弃之。"

注释：

①不教民:未经教育训练的民众。

译文：

　　孔子说："用未经教育训练的民众去作战,这可以说是抛弃了他们。"

宪问第十四

　　本篇分为四十四章。以评论人物的内容为主，对象包括孔门弟子，如南宫适、冉求、子贡等；政治人物，如裨谌、世叔、行人子羽、东里子产、子产、子西、管仲、孟公绰、臧武仲、卞庄子、公叔文子、仲叔圉、祝鮀、王孙贾、陈成子、蘧伯玉之使等；还有诸侯国君，如晋文公、齐桓公、卫灵公等。论及诸人的道德水平、政治才能、性格特点、举止行为、成就贡献等方面。14.35－14.36 章是孔子的自我评价。14.28、14.38－14.39 章则是当时人对孔子的评价。14.2、14.4、14.37、14.42 章介绍道德之士应有的作为。14.3 章反映孔子的处世观。14.6、14.23 章指出君子与小人的区别。14.20、14.27 章强调要言行一致。14.41、14.43－14.44 章强调要依礼行事。

14.1　宪问耻①。子曰："邦有道,谷②;邦无道,谷,耻也。"

"克、伐、怨、欲不行焉③,可以为仁矣?"子曰："可以为难矣,仁则吾不知也。"

注释:

①宪:即原思,宪为名,思为字。古时称他人一般称字或称号以示尊敬,只有自称称名。本章直称名,很有可能是原宪本人记载的。

②谷:禄。

③克:胜。伐:夸耀自己。

译文:

原宪问什么是耻辱。孔子说："国家政治清明,可以做官得俸禄;如果国家政治昏乱,做官得俸禄就是耻辱。"

原宪又问："没有好胜、自夸、怨恨、贪欲这四种毛病,可以算得上仁了吧?"孔子说："可以算是难能可贵的了,能否算得上仁,我就不知道了。"

14.2　子曰："士而怀居①,不足以为士矣!"

注释:

①而:如。

译文:

孔子说："士如果留恋安逸的话,就不足以称为士了。"

14.3 子曰:"邦有道,危言危行^①;邦无道,危行言孙^②。"

注释:

①危:正。

②孙:"逊"的古体字。

译文:

    孔子说:"国家政治清明,正直地说话,正直地做人;国家政治昏乱,正直地做人,说话却要谨慎。"

14.4 子曰:"有德者必有言^①,有言者不必有德^②;仁者必有勇,勇者不必有仁^③。"

注释:

①言:指善言,有价值的言论。

②有言者不必有德:道德不够醇厚的人而有善言,是善言与实际行动脱节,故而知道其人道德不够醇厚,但言论本身可能是正确的。这句话既告诫人们要听其言而观其行(参见 5.10 章),以判断其人是否伪善;又告诫人们不可因人废言,参见 15.23 章。

③勇者不必有仁:单纯的勇敢还达不到仁的境界,勇敢必须符合礼义才行,参见 8.2、17.23、17.24 章。

译文:

    孔子说:"有道德的人一定有善言,有善言的人不一定有道德。有仁德的人一定勇敢,勇敢的人不一定有仁德。"

14.5　南宫适问于孔子曰①:"羿善射②,奡荡舟③,俱不得其死然。禹、稷躬稼④,而有天下。"夫子不答。

南宫适出。子曰:"君子哉若人! 尚德哉若人!"

注释:

①南宫适(kuò):即孔子弟子南容。

②羿(yì):古代传说中叫羿的人有三个,都是善射之人。这里的羿指夏代有穷国的君主后羿。据《左传·襄公四年》的记载,后羿趁夏国式微占据了它的国土,但由于沉溺于打猎,被自己的臣子寒浞杀而代之。

③奡(ào):或作"浇",古代传说中的人物,寒浞的儿子,以力大著称。荡:翻。

④禹:夏后氏部落领袖,曾因治理洪水有功,舜死后担任部落联盟领袖。他的儿子启建立了夏朝。稷:后稷,周人的始祖,名弃。善于耕种,尧、舜时代曾做农官。躬稼:亲自参加耕种。后稷躬稼确有其事,禹治理洪水也可认为与农业有关。

译文:

南宫适向孔子问道:"后羿擅长射箭,奡力大能翻舟,结果都不得好死。大禹和后稷亲自参加农事,却都得到天下。"孔子没有回答。

南宫适出去以后,孔子说:"这个人真是君子啊! 这个人真崇尚道德啊!"

14.6 子曰:"君子而不仁者有矣夫^①,未有小
人而仁者也^②。"

> **注释:**
>
> ①君子:在这里指有贵族地位的人,因此可以说"君子而
>   不仁者有矣夫"。
> ②小人:与上句的"君子"相对,这里的小人是指没有贵族
>   地位的老百姓。
>
> **译文:**
>
>   孔子说:"身为君子却不具备仁德的人是有的,但没
> 有身为小人却具备仁德的人。"

14.7 子曰:"爱之,能勿劳乎?忠焉,能勿
诲乎?"

> **译文:**
>
>   孔子说:"爱他,能不使他操劳吗?忠于他,能不给他
> 教诲吗?"

14.8 子曰:"为命^①,裨谌草创之^②,世叔讨论
之^③,行人子羽修饰之^④,东里子产润色之^⑤。"

> **注释:**
>
> ①命:令,这里指辞令。
> ②裨谌(bìchén):郑国的贤大夫,善于出谋划策,但在野

外做策划就正确，在城里策划就不行。此处所言详情可参《左传·襄公三十一年》。

③世叔：即子太叔，姓游，名吉，郑简公、定公时为卿，后继子产执政。讨论：研究后提出意见。

④行人：执掌出使的官。子羽：公孙挥的字，郑国大夫，经常出使四方，了解各诸侯国的情况。

⑤东里：子产所居之地，在今郑州市。

译文：

孔子说："郑国拟定外交辞令，由裨谌打草稿，经过世叔的研究并提出意见，再由使臣子羽加以修饰，东里子产加以润色。"

14.9　或问子产。子曰："惠人也。"

问子西①。曰："彼哉！彼哉②！"

问管仲。曰："人也。夺伯氏骈邑三百③，饭疏食，没齿无怨言④。"

注释：

①子西：春秋时有三个叫子西的人，这里应当是指郑国的公孙夏，为子产的同宗兄弟，子产继他之后主持郑国国政。因此问过子产之后，又问到他。另外两个，一个是楚国的鬥（dòu）宜申，生当鲁僖公、文公之世，因谋乱被诛。一是楚国的公子申，和孔子同时，而死于其后。

②彼哉彼哉：表示轻蔑的习惯用语。

③伯氏：齐国大夫。骈（pián）邑：伯氏的采邑。三百：指户数。

④没齿:终其天年。齿,年。

译文:

　　有人问子产是个怎样的人。孔子说:"是个宽厚慈惠的人。"

　　又问子西是个怎样的人。孔子说:"他呀!他呀!"

　　又问管仲是个怎样的人。孔子说:"是个人才。他曾剥夺伯氏骈邑三百户的采地,让伯氏只能吃粗饭,直到老死都没有怨言。"

14.10　子曰:"贫而无怨难,富而无骄易。"

译文:

　　孔子说:"贫穷却不怨恨,很难做到;富有却不骄傲,容易做到。"

14.11　了曰:"孟公绰为赵魏老则优①,不可以为滕薛大夫②。"

注释:

①孟公绰:鲁国大夫。孔子认为他不贪心(见14.12章),《史记·仲尼弟子列传》说他是孔子尊敬的人。赵、魏:晋国的卿赵氏和魏氏,是晋国势力最强的卿。老:大夫的家臣称老,或称室老。优:优裕,有余力。

②滕:当时的小国,故城在今山东滕县西南十五里。薛:当时的小国,故城在今山东滕县西南四十四里。

译文：

　　孔子说："孟公绰如果做晋国诸卿赵氏、魏氏的家臣，那么能力是绰绰有余的；但是不能胜任滕、薛之类小国大夫的职责。"

14.12　子路问成人①。子曰："若臧武仲之知②，公绰之不欲③，卞庄子之勇④，冉求之艺⑤，文之以礼乐⑥，亦可以为成人矣。"曰："今之成人者何必然？见利思义，见危授命，久要不忘平生之言⑦，亦可以为成人矣。"

注释：

①成人：完人。

②臧武仲：鲁国大夫臧孙纥。据《左传·襄公二十三年》的记载：他曾设计为季武子废除年长的即位者立自己喜欢的少子。后不容于鲁国，逃往齐国，又能预见齐庄公将败而设法拒绝了庄公授给他的田邑。孔子曾经评价他是有智慧而无礼义的人。知(zhì)："智"的古体字。

③公绰：即孟公绰。不欲：不贪心。

④卞庄子：鲁国卞邑的大夫，以勇敢著称。《荀子·大略篇》说齐国想要征伐鲁国，又害怕卞庄子。

⑤艺：多才多艺。

⑥文：文饰。

⑦要：约，困顿。

译文：

　　子路问怎样才算是完人。孔子说："像臧武仲那样有智慧，孟公绰那样不贪心，卞庄子那样勇敢，冉求那样多才多艺，再用礼乐加以修饰，也可以称作完人了。"又说："如今的完人何必一定这样！见到利益能够想一想是否合乎道义，遇到危难愿意献出性命，长时间处于困顿之境而不忘平生所立的誓言，也可以称作完人了。"

14.13　子问公叔文子于公明贾曰①："信乎？夫子不言、不笑、不取乎？"

公明贾对曰："以告者过也②。夫子时然后言，人不厌其言；乐然后笑，人不厌其笑；义然后取，人不厌其取。"

子曰："其然，岂其然乎？"

注释：

①公叔文子：卫国大夫公叔拔（或作发），卫献公之孙，为人廉静，谥"贞惠文子"。公明贾：卫国人，姓公明，名贾。

②以：此。

译文：

　　孔子向公明贾询问公叔文子，说："当真吗？这位老先生不讲话，不笑，不索取吗？"

　　公明贾说："这是传话人的错。这位老先生到该讲话的时候才讲话，因此别人不讨厌他讲话；高兴了才会笑，因此别人不讨厌他笑；合乎道义才去索取，因此别人不讨厌他索取。"

　　孔子说："原来是这样，难道真是这样吗？"

14.14 子曰:"臧武仲以防求为后于鲁^①,虽曰不要君^②,吾不信也。"

注释:

①防:臧武仲的封邑。为后:立后。根据《左传·襄公二十三年》的记载:臧武仲获罪于季孙,受到攻伐,逃往邾。自邾到防,派使者向鲁君请求,立臧为为臧氏之后。鲁君接受了他的请求,臧武仲遂交出防地逃往齐国。

②要:要挟。

译文:

孔子说:"臧武仲用防邑做交换条件,请求鲁君立臧为为臧氏后嗣,纵然有人说这不是要挟君主,我是不相信的。"

14.15 子曰:"晋文公谲而不正^①,齐桓公正而不谲^②。"

注释:

①晋文公:名重耳。晋献公次子,献公宠骊姬,杀太子申生,重耳被迫流亡十九年,后在秦穆公的帮助下归国,公元前636-前628年在位。任用诸贤,救宋破楚,辅裨周襄王并从此挟天子以令诸侯。他和齐桓公是春秋五霸中最有势力的君主。谲(jué):言行多变化,诈伪。

②齐桓公:名小白。齐襄公弟,因襄公无道出奔莒。襄公被弑,归国即位。公元前685-前643年在位。他任用管仲为相,国力强大,称霸诸侯。

译文：

孔子说："晋文公欺诈而不正直，齐桓公正直而不欺诈。"

14.16 子路曰："桓公杀公子纠，召忽死之，管仲不死①。"曰："未仁乎？"子曰："桓公九合诸侯，不以兵车②，管仲之力也③。如其仁④！如其仁！"

注释：

①桓公杀公子纠，召(shào)忽死之，管仲不死：据《左传》庄公八年、九年的记载：公子小白和公子纠都是齐襄公的弟弟。襄公无道，鲍叔牙预见将发生动乱，事奉公子小白逃往莒国。后公孙无知杀襄公自立，齐国动乱，管仲、召忽事奉公子纠逃往鲁国。齐人杀死无知，齐国无主。鲁庄公派人攻打齐国，并护送公子纠回国即位，而小白从莒国先回到齐国，自立为君，是为齐桓公。于是伐鲁，逼迫鲁国杀了公子纠，召忽因此自杀，管仲被囚，后经鲍叔牙举荐，被桓公任用为相。

②九合诸侯，不以兵车：多次主持诸侯的和平会盟。古时诸侯会盟，有所谓"兵车之会"——帅兵车聚合武力进行会盟，和"衣裳之会"（又作"衣冠之会"）——凭借礼仪的和平会盟。《谷梁传·庄公二十七年》说："衣裳之会十有一，未尝有歃血之盟也，信厚也。兵车之会四，未尝有大战也，爱民也。"

③力：功。

④如：乃。

译文：

子路说："齐桓公杀了公子纠，召忽为他自杀而死，管仲却不死。"接着又说："管仲不能算是有仁德吧？"孔子说："齐桓公多次会盟诸侯，不动用兵车武力，都是管仲的功劳。这就是他的仁德，这就是他的仁德。"

14.17　子贡曰："管仲非仁者与？桓公杀公子纠，不能死，又相之。"子曰："管仲相桓公，霸诸侯，一匡天下①，民到于今受其赐。微管仲②，吾其被发左衽矣③！岂若匹夫匹妇之为谅也④，自经于沟渎而莫之知也⑤。"

注释：

①匡：正。

②微：无。

③被：同"披"。左衽（rèn）：衣襟向左边开。披散头发、左开衣襟都是落后民族的风俗。

④谅：信，这里指小信。

⑤自经：自缢。

译文：

子贡说："管仲不是有仁德的人吧？齐桓公杀了公子纠，管仲不能为主子而殉难，反而做了齐桓公的相。"孔子说："管仲辅佐齐桓公，称霸于诸侯，使天下得到匡正，人民直到今天还享受着他的恩赐。如果没有管仲，我们大概要像披散着头发、衣襟向左开的落后民族一样了。难道要让管仲像普通男女那样拘泥于小信，自缢于沟渠之中而没有人晓得他吗？"

14.18　公叔文子之臣大夫僎与文子同升诸公①。子闻之曰："可以为文矣②。"

注释：

①臣：家臣。大夫僎(xún)：又作"大夫选"。公：公室。

②文：《逸周书·谥法解》关于"文'的谥号有六义，其六为"锡民爵位"，与这里相合。

译文：

　　公叔文子的家臣大夫僎，由于文子的推荐，与公叔文子一起做了卫国公室的大夫。孔子听到后，说："公叔文子可以称为'文'了。"

14.19　子言卫灵公之无道也①，康子曰②："夫如是，奚而不丧③？"孔子曰："仲叔圉治宾客④，祝鮀治宗庙⑤，王孙贾治军旅⑥。夫如是，奚其丧？"

注释：

①卫灵公：卫献公之孙，名元，公元前534－前493年在位。政治昏乱，夫人南子曾经操权。

②康子：即季康子，见2.20章注①。

③奚而：奚为，为何。

④仲叔圉(yǔ)：即孔文子，见5.15章注①。

⑤祝鮀(tuó)：见6.16章注①。

⑥王孙贾：见3.13章注①。

译文：

　　孔子讲到卫灵公的昏乱无道，季康子说："既然如此，为什么能不败亡？"孔子说："他有仲叔圉主管外交，祝鮀主管祭祀，王孙贾主管军队，既然如此，怎么会败亡呢？"

14.20　子曰："其言之不怍①，则为之也难！"

注释：

①怍(zuò)：惭愧。

译文：

　　孔子说："一个人说话时大言不惭，实践起来一定很困难。"

14.21　陈成子弑简公①。孔子沐浴而朝，告于哀公曰②："陈恒弑其君，请讨之。"公曰："告夫三子③！"

　　孔子曰："以吾从大夫之后，不敢不告也。君曰'告夫三子'者。"

　　之三子告，不可。孔子曰："以吾从大夫之后，不敢不告也。"

注释:

①陈成子:名恒,齐国大臣。据《左传·哀公十四年》的记
载:陈恒杀死国君齐简公,拥立齐平公,自己出任相国。
简公:即齐简公。名壬,公元前484－前481年在位。
"简"为谥号。

②孔子告哀公之事也见于《左传·哀公十四年》。

③三子:即当时鲁国的当权者孟孙、叔孙、季孙。

译文:

  陈成子杀了齐简公。孔子斋戒沐浴后上朝,报告鲁
哀公说:"陈恒杀了他的君主,请出兵讨伐他。"鲁哀公说:
"报告孟孙、叔孙、季孙三人吧!"

  孔子退下后说:"因为我在大夫的行列之后随行,不
敢不报告这样重大的事啊。君主却说出'报告孟孙、叔
孙、季孙三人'的话!"

  孔子到孟孙、叔孙、季孙三人那里报告,不同意出兵。
孔子说:"因为我在大夫的行列之后随行,不敢不报告这
样重大的事啊!"

14.22 子路问事君。子曰:"勿欺也,而犯之①。"

注释:

①犯:犯颜谏诤。

译文:

  子路问怎样侍奉君主。孔子说:"不要欺骗,而应该
说实话犯颜谏诤他。"

14.23　子曰：“君子上达，小人下达。”①

注释：

①上达、下达与学有关。古注以为：“上达者，达于仁义也。下达谓达于财利，所以与君子反也。”这样解释跟孔子“君子喻于义，小人喻于利”（见 4.16 章）的说法相合。不过《论语》中还有“中人以上，可以语上也；中人以下，不可以语上也”（见 6.21 章）、“君子不可小知而可大受也，小人不可大受而可小知也”（见 15.34 章）等说法，若都以“仁义”“财利”解释就显然有些不太合适了。这里用道理来解释就都能讲通。

译文：

孔子说：“君子通晓高深的道理，小人通晓低级的道理。”

14.24　子曰：“古之学者为己①，今之学者为人②。”

注释：

①为己：为了端正和充实自己。
②为人：为了向别人卖弄。

译文：

孔子说：“古代学者学习的目的是为了修养和充实自身，当今学者学习的目的是为了向别人炫耀。”

14.25　蘧伯玉使人于孔子①。孔子与之坐而问焉,曰:"夫子何为?"对曰:"夫子欲寡其过而未能也②。"

使者出。子曰:"使乎! 使乎!"

注释:

①蘧(qú)伯玉:卫国大夫,名瑗(yuàn)。孔子对他评价很高,参见 15.7 章。

②欲寡其过:根据《庄子》、《淮南子》等书的记载,蘧伯玉是个善于知错改过的人,与这里的"欲寡其过"正相合。

译文:

蘧伯玉派使者拜访孔子。孔子跟使者同坐,并问道:"你们先生在做什么?"使者回答说:"我们先生想尽量减少自己的过错却还没能做到。"

使者出去以后,孔子说:"好使者啊! 好使者啊!"

14.26　子曰:"不在其位,不谋其政。"①

曾子曰:"君子思不出其位。"

注释:

①此句已见于 8.14 章。

译文:

孔子说:"不居于那个职位,就不考虑它的政务。"

曾子说:"君子考虑问题不超出自己的职权范围。"

14.27　子曰:"君子耻其言而过其行。"①

注释:

①而:之。

译文:

　　孔子说:"君子认为口里说的超过实际做的是可耻的。"

14.28　子曰:"君子道者三①,我无能焉:仁者不忧,知者不惑②,勇者不惧。"子贡曰:"夫子自道也。"

注释:

①君子道者:君子所行之道。

②知:"智"的古体字。

译文:

　　孔子说:"君子所行之道有三,而我没有做到:有仁德的人不忧愁,有智慧的人不迷惑,勇敢的人不畏惧。"子贡说:"这是先生在说自己呢。"

14.29　子贡方人①。子曰:"赐也贤乎哉! 夫我则不暇。"

注释:

①方:通"谤",公开指责别人的过失。

译文：

　　子贡当面批评别人。孔子说："赐啊，你就很好吗？我就没有这样的闲工夫。"

14.30　子曰："不患人之不己知，患其不能也。"

译文：

　　孔子说："不担心别人不了解自己，担心自己没有能力。"

14.31　子曰："不逆诈①，不亿不信②，抑亦先觉者，是贤乎！"

注释：

①逆：预先揣度。
②亿：通"臆"，臆测。

译文：

　　孔子说："不预先揣度别人是欺诈的，不凭空猜测别人是不诚实的，却又能及早发觉欺诈与不诚实，这样的人是贤者吧？"

14.32　微生亩谓孔子曰①："丘何为是栖栖者与②？无乃为佞乎？"孔子曰："非敢为佞也，疾固也③。"

注释：

①微生亩：姓微生，名亩。又作"尾生亩"。其人已不可详
　考。从他直呼孔子之名这一点看，应该是位长者。

②栖栖(xī)：形容忙碌不安定。

③疾：忧患。

译文：

　　微生亩对孔子说："你为什么要这样生活不安定到处
游说呢？不是要卖弄口才吧？"孔子说："不敢卖弄口才，
实在是担心人们顽固不化。"

14.33　子曰："骥不称其力①，称其德也②。"

注释：

①骥：古代良马名，相传能日行千里。

②德：指训练有素，驾驭时能配合人意。

译文：

　　孔子说："称赞名马为骥，不是称赞它的气力，而是称
赞它的美德。"

14.34　或曰："以德报怨①，何如？"子曰："何以
报德？以直报怨，以德报德。"

注释：

①以德报怨：《老子》六十三章："大小多少，报怨以德。"

译文：

　　有人说："用恩德来回报怨恨，怎么样？"孔子说："那用什么来回报恩德呢？应该是用正直来回报怨恨，用恩德来回报恩德。"

14.35　子曰："莫我知也夫！"子贡曰："何为其莫知子也？"子曰："不怨天，不尤人①；下学而上达②。知我者其天乎！"

注释：

①尤：归咎，责怪。

②上达：上通于天，了解天命。

译文：

　　孔子感叹道："没有人了解我啊！"子贡说："为什么没有人了解您呢？"孔子说："不怨恨上天，不责怪别人，不懈地学习，上通于天命。了解我的大概只有天吧！"

14.36　公伯寮愬子路于季孙①。子服景伯以告②，曰："夫子固有惑志③，于公伯寮，吾力犹能肆诸市朝④。"

　　子曰："道之将行也与，命也。道之将废也与，命也。公伯寮其如命何！"

注释：

①公伯寮(liáo)：姓公伯,名寮,字子周。《史记·仲尼弟
　子列传》作"公伯缭"。

②子服景伯：姓子服,名何,字伯。鲁国大夫。

③夫子：指季孙。惑志：疑惑之心。

④肆：陈尸示众。市朝：市集与朝廷。

译文：

　　公伯寮向季孙诽谤子路,子服景伯把这件事告诉孔
子,并且说："季孙已经对子路产生了疑心,对于公伯寮,
我的力量还能够把他杀了陈尸街头。"

　　孔子说："治道或许会实行吧,这是命运;治道或许
将会废止吧,也是命运。公伯寮能把命运怎么样呢?"

14.37　子曰："贤者辟世①,其次辟地,其次辟
色,其次辟言。"子曰："作者七人矣②。"

注释：

①辟："避"的古体字。

②作：为。

译文：

　　孔子说："贤者以避开乱世为上,其次避开乱地,再次
避开乱色,再次避开恶言。"孔子又说："做到这样的已经
有七个人了。"

14.38　子路宿于石门①。晨门曰②："奚自?"子
路曰："自孔氏。"曰："是知其不可而为之者与?"

注释:

①石门:鲁城外门。

②晨门:主管城门晨开夜关的人。

译文:

　　子路在石门过夜。守城门的人说:"从哪里来?"子路说:"从孔氏那里来。"守门人说:"就是那个明知行不通却还要去做的那个人吗?"

14.39　子击磬于卫①。有荷蒉而过孔氏之门者②,曰:"有心哉! 击磬乎!"既而曰:"鄙哉③! 硁硁乎④! 莫己知也,斯己而已矣⑤。深则厉,浅则揭⑥。"

　　子曰:"果哉! 末之难矣⑦。"

注释:

①磬(qìng):石制打击乐器,形状像曲尺。

②蒉(kuì):草编的筐。

③鄙:偏狭。

④硁硁(kēng):象声词,声音果劲。

⑤斯:则。己:守己。

⑥深则厉,浅则揭:《诗经·邶(bèi)风·匏(páo)有苦叶》中的句子。厉,穿着衣服涉水。揭,提起衣裳。

⑦难(nàn):反驳。

译文:

　　孔子在卫国击磬。有个挑着草筐路过孔子门前的人,说:"有心啊,在击磬!"过了一会又说:"偏狭啊,硁硁的磬声！没有人了解自己，就专守己志算了。《诗经》说：河深就穿着衣裳涉过，河浅就提起衣裳涉过。"

孔子说："好坚决啊，没有办法来说服他了。"

14.40 子张曰："《书》云：'高宗谅阴，三年不言'①，何谓也？"子曰："何必高宗？古之人皆然。君薨②，百官总己以听于冢宰三年③。"

注释：

①高宗谅阴，三年不言：《尚书 · 无逸》中的句子。高宗：殷高宗，即武丁。盘庚弟小乙之子，为殷中兴之王。谅阴，《尚书》作"梁闇"，屋檐着地而无楹柱的房子，类似现在的窝棚，又称凶庐，守丧所居。

②薨（hōng）：古时诸侯国君之死叫薨。

③冢宰：统理政务、总御群官的最高长官。三年：古时为天子居丧的期限。

译文：

子张说："《尚书》说：'殷高宗住在凶庐里守孝，三年不讲话。'这是什么意思？"孔子说："哪里只是殷高宗居丧不问政事，古时的人都是如此。君主死了，官员管理各自的职务并听命于冢宰，满三年为止。"

14.41 子曰："上好礼，则民易使也。"

译文：

　　孔子说："居上位的人喜欢礼仪，那么老百姓就容易役使。"

14.42　子路问君子。子曰："修己以敬①。"
　　　　曰："如斯而已乎?"曰："修己以安人②。"
　　　　曰："如斯而已乎?"曰："修己以安百姓③。
修己以安百姓,尧、舜其犹病诸!"

注释：

①以：而。敬：严肃谨慎。
②安人：即"己欲立而立人,己欲达而达人"（见6.30章）
　　之义,已达到"仁"的标准。
③安百姓：即"博施于民而能济众"（见6.30章）之义,已
　　达到"圣"的标准。

译文：

　　子路问怎样算是君子。孔子说："修养自己而且敬慎从事。"

　　又问："这样就够了吗?"孔子说："修养自己而且安抚别人。"

　　又问："这样就够了吗?"孔子说："修养自己而且安定百姓。做到修养自己而且安定百姓,就连尧、舜恐怕都感到很难呢!"

14.43　原壤夷俟①。子曰："幼而不孙弟②,长而

无述焉③，老而不死，是为贼④!"以杖叩其胫⑤。

注释：

①原壤：鲁国人。《礼记·檀弓》记载原壤是个不拘礼节的人：他的母亲死了，孔子去帮他料理丧事，他却登上棺材唱了一支逗乐的歌。夷：箕踞，一种无礼貌的坐姿。古时坐如跪姿，小腿及足蜷曲于后，臀部坐在脚后跟上。箕踞则是臀部坐在地上，腿和脚伸出在身前，并张开两膝。俟：等待。

②孙：通"逊"。弟：同"悌"。

③无述：无可称述。

④贼：害。

⑤胫(jìng)：小腿。

译文：

　　原壤箕踞坐着，等待孔子。孔子说："幼时不谦逊敬长，长大了又无可称述，老了还不快死，这真是个祸害!"说完，用手杖敲了敲他的小腿。

14.44　阙党童子将命①。或问之曰："益者与②?"子曰："吾见其居于位也③，见其与先生并行也④。非求益者也，欲速成者也⑤。"

注释：

①阙党：即阙里，孔子旧里。将命：传达宾主的辞命。

②益：长进。

③居于位：居于席位。《礼记·檀弓》规定，童子不可以居

于成人之位。

④先生:年长者。并行:并排而行。《礼记·曲礼》规定，
　　童子不可与长者并行。

⑤速成:孔子认为"欲速则不达"(见 13.17 章)。

译文:

　　阙党的一个少年负责为宾主传达辞命。有人问孔
子,说:"是个肯上进的后生吗?"孔子说:"我见他坐在成
年人的位子上,又见他与年长者并肩而行。可知他不是
一个追求进步的人,而是一个贪图速成的人。"

卫灵公第十五

　　本篇分为四十二章。内容以论道德修养的居多,15.3 章提出"一以贯之"之道,15.6 章主张忠信笃敬,15.9－15.10、15.35 章肯定"仁",15.16－15.17 章强调"义";而专论"君子"之为人的就有十章(15.2、15.18－15.23、15.32、15.34、15.37 章):指出安贫乐道、遵守礼义、态度谦逊、言语信实,追求真才实学、美名传扬,克己知人、团结合群、堪当重任等都是君子应当必备的修养和能力,且多数章与"小人"之为人形成对比。此外论及政治的章节也不少:15.1 章主张礼治反对军政,15.5 章提出治政要从端正自身做起,15.11 章涉及历法、用度、礼服、乐制等施政的具体内容。15.7 章讲处世方法,15.8 章讲交友之道。15.25、15.28 章指出要以实际行动来考察人。还有少数章节论及学习与教育:15.31 章强调学思结合,15.36 章讲重视实践,15.39 章提出有教无类的教育理论。

15.1　卫灵公问陈于孔子①。孔子对曰："俎豆之事②，则尝闻之矣；军旅之事，未之学也。"明日遂行。

注释：

①陈："阵"的古体字，作战队伍的阵法。

②俎(zǔ)豆：俎和豆都是古代的礼器，这里用以代表礼仪。俎，形状似几，用以供放牺牲祭品。豆是高脚盘，用以盛肉酱或带汁的食物。

译文：

　　卫灵公向孔子询问作战的阵法，孔子回答说："礼仪的事情，我曾经听说过；军队的事情，未曾学习过。"第二天便离开卫国走了。

15.2　在陈绝粮①，从者病，莫能兴②。子路愠见曰："君子亦有穷乎？"子曰："君子固穷③，小人穷斯滥矣。"

注释：

①在陈绝粮：参见11.2章注①。

②兴：起。

③穷：困穷没办法。

译文：

　　孔子在陈国断绝了粮食，跟随的人都饿坏了，没有人能爬得起来。子路非常怨愤，来见孔子说："君子也有没办法的时候吗?"孔子说:"君子没办法还坚持着,小人遇到没办法,就会胡作非为了。"

15.3 子曰:"赐也,女以予为多学而识之者与①?"对曰:"然,非与?"曰:"非也。予一以贯之②。"

注释:

①女(rǔ):通"汝"。识(zhì):记。

②一以贯之:用一种核心内容加以贯穿,参见4.15章。

译文:

孔子说:"赐!你以为我是多方面学习并且把内容都记下来的人吗?"子贡回答说:"是的,难道不是吗?"孔子说:"不是的。我用一个中心把它们贯穿起来。"

15.4 子曰:"由!知德者鲜矣。"①

注释:

①此章表面上讲知德者少,实指有德者少。参见9.18章。

译文:

孔子说:"由!知晓道德的人太少了啊!"

15.5 子曰:"无为而治者①,其舜也与!夫何为哉?恭己正南面而已矣②。"

注释:

①无为而治:无所烦劳就能使天下大治。舜治理天下的方法,古书中多有记载。如《大戴礼·主言篇》说:"昔者舜左禹而右皋陶,不下席而天下治。"《新序·杂事三》说:"故王者劳于求人,佚于得贤。舜举众贤在位,垂衣裳恭己无为而天下治。"可见舜任用能人辅佐自己,故能免于烦劳。

②恭己:端正自身。儒家的政治思想以修己为起点。如《礼记·中庸》说:"君子笃恭而天下平。"《大学》讲修身,治家,齐国,平天下。南面:居于统治之位。

译文:

孔子说:"能够无所烦劳就实现天下大治的人,大概就是舜吧! 他做了什么呢? 修养好自己,端正地居位听政罢了。"

15.6 子张问行①。子曰:"言忠信,行笃敬,虽蛮貊之邦,行矣②;言不忠信,行不笃敬,虽州里,行乎哉? 立,则见其参于前也③;在舆④,则见其倚于衡也⑤。夫然后行!"子张书诸绅⑥。

注释:

①行:行得通。

②蛮貊(mò):泛指地处边远的落后部族,蛮指南方,貊指北方。

③参(cān):并立。

④舆:车箱。

⑤衡:车辕前端用于套牲口的衡木。

⑥绅:束在腰间的大带。

译文:

　　子张问怎样才能行得通。孔子说:"说话忠诚信实,行为笃实敬慎,即使在落后部族的国家,也能行得通。说话不忠诚信实,行为不笃实敬慎,即使在本州本里,能行得通吗?站立时仿佛看见'忠信笃敬'这四个字就树立在前面,坐在车中仿佛看见这四个字就在车辕的横木上。能够做到这样,而后才能行得通。"子张把这段话写在腰间的大带上。

15.7　子曰:"直哉史鱼①!邦有道,如矢②;邦无道,如矢。君子哉蘧伯玉③!邦有道,则仕;邦无道,则可卷而怀之④。"

注释:

①史鱼:卫国大夫。姓史,名鳍(qiū),字子鱼。他耿直敢言,公正无私。《韩诗外传》卷七记载:史鱼将死之时,嘱咐儿子不要为自己在正堂治丧,因为自己多次举荐贤良的蘧伯玉,摒退不肖的弥子瑕,未被国君采纳。卫灵公得知后,终于重用了蘧伯玉而免掉弥子瑕。故史鱼有"生以身谏,死以尸谏"之称。

②矢(shǐ):箭。

③蘧伯玉:见14.25章注①。

④卷而怀之:收起来,指隐居民间不做官。

译文：

孔子说："正直啊史鱼！国家政治清明，像箭一样直；国家政治昏乱，也像箭一样直。君子啊蘧伯玉！国家政治清明，就做官；国家政治昏乱，就可以把自己收起来不做官。"

15.8　子曰："可与言，而不与之言，失人；不可与言，而与之言，失言。知者不失人①，亦不失言。"

注释：

①知(zhì)："智"的古体字。

译文：

孔子说："可以跟他说，却不跟他说，就会失去人才；不可跟他说，却跟他说了，就是说错了话。聪明人既不会失去人才，也不会说错话。"

15.9　子曰："志士仁人，无求生以害仁，有杀身以成仁。"

译文：

孔子曰："志士仁人，不会因为求生而损害仁道，只会牺牲自身来成全仁道。"

15.10　子贡问为仁。子曰："工欲善其事，必先利其器。居是邦也，事其大夫之贤者，友其士之仁者。"

译文：

　　子贡问如何修养仁德。孔子说："工匠想要把他的活干好，一定要先磨快他的工具。住在一个国家，要侍奉大夫中的贤人，交往士人中的仁人。"

15.11　颜渊问为邦。子曰："行夏之时①，乘殷之辂②，服周之冕③，乐则《韶》舞④。放郑声⑤，远佞人。郑声淫，佞人殆。"

注释：

①夏之时：夏代的历法，即现在的农历（又叫阴历）。夏历以建寅之月为岁首正月，更符合时令节气，方便农事。殷历以建丑之月（即农历十二月）为正月。周历以建子之月（即农月十一月）为正月。

②辂(lù)：又作"路"，帝王用的大车。《周礼·春官·巾车》记王之五路为玉路、金路、象路、革路、木路，其中木路最为质朴。而根据《礼记·明堂位》的记载，殷路就是木路。

③周之冕：周代的礼帽。

④《韶舞》：舜时的音乐，孔子称赞《韶》乐"尽美""尽善"（见3.25章）。

⑤郑声：郑国的乐曲。《礼记·乐记》称："郑音好滥淫志"，显然不符合孔子"乐而不淫，哀而不伤"（见3.20章）的音乐评价标准。

译文：

　　颜渊问怎样治理国家。孔子说："用夏代的历法，坐殷代的车子，戴周代的礼帽，用舜时的《韶》乐。排斥郑国的乐曲，远离花言巧语的人。郑国的乐曲过分，花言巧语的人危险。"

15.12　子曰："人无远虑，必有近忧。"

译文：

　　孔子说："人如果没有长远的考虑，一定会有眼前的忧患。"

15.13　子曰："已矣乎！吾未见好德如好色者也。"①

注释：

①此句又见于9.18章。

译文：

　　孔子说："完了啊！我没有见过追求道德像追求女色的人。"

15.14　子曰："臧文仲其窃位者与①？知柳下惠之贤而不与立也②。"

注释：

①臧文仲：见 5.18 章注①。窃位：古注认为"知贤而不举，是为窃位"。

②柳下惠：鲁国的贤者。姓展，名获，字禽，又叫展季。柳下可能是他的住地，因以为号。据《列女传》，"惠"是其妻倡议而给的私谥。与立：并立为官。

译文：

孔子说："臧文仲大概是个窃居官位的人吧？明知柳下惠有贤德却不推举他跟自己一起做官。"

15.15　子曰："躬自厚而薄责于人①，则远怨矣！"

注释：

①躬：亲自。厚：指厚责，因下文有"薄责"而省略了"责"字。责：要求。

译文：

孔子说："对自己要求严格而宽松地要求别人，就会远离怨恨。"

15.16　子曰："不曰'如之何、如之何'者①，吾末如之何也已矣。"

注释：

①如之何：怎么办。连言表示反复考虑。

译文：

孔子说："不念叨'怎么办,怎么办'的人,我不知道该怎么办了啊!"

15.17　子曰:"群居终日,言不及义,好行小慧,难矣哉①!"

注释：

①难矣哉:孔子认为士人聚在一起应该切磋学问,互相责善,以助于进德修业(可参见 1.1、12.24、13.28 章),如果"言不及义,好行小慧",就不可能进德,因此说"难矣哉"。

译文：

孔子说："士人整日聚在一起,谈话丝毫不涉及道义,喜欢卖弄小聪明,想要进德就太难了啊!"

15.18　子曰:"君子义以为质,礼以行之,孙以出之,信以成之。君子哉!"

译文：

孔子说："君子用义来修养自己的品质,按照礼来行事,用谦逊的态度讲话,靠信实取得成功。这才是君子啊!"

15.19　子曰:"君子病无能焉,不病人之不己知也。"

译文：

孔子说："君子担心自己没有能力，不担心别人不了解自己。"

15.20　子曰："君子疾没世而名不称焉①。"

注释：

①没世：去世。名不称焉：名声不被世人称道。

译文：

孔子说："君子痛恨死后自己的名声不能流传于世。"

15.21　子曰："君子求诸己，小人求诸人。"

译文：

孔子说："君子反求于自己，小人苛求于别人。"

15.22　子曰："君子矜而不争①，群而不党。"

注释：

①矜：持重，谨慎。

译文：

孔子说："君子庄重谨慎却不与人争，合群团结却不结党营私。"

15.23 子曰:"君子不以言举人,不以人废言。"

译文:

　　孔子说:"君子不根据言辞来选拔人才,也不因为一个人不好而废弃他有价值的言论。"

15.24 子贡问曰:"有一言而可以终身行之者乎①?"子曰:"其'恕'乎! 己所不欲,勿施于人。"

注释:

①一言:一个字。

译文:

　　子贡问道:"有一个字可以终生奉行的吗?"孔子说:"大概是'恕'吧? 意思是自己不喜欢的事情,不要强加给别人。"

15.25 子曰:"吾之于人也,谁毁谁誉? 如有所誉者,其有所试矣①。斯民也,三代之所以直道而行也。"

注释:

①试:试用,这里指考察过某人的行为。

译文：

孔子说："我对于别人，诋毁过谁？称赞过谁？如果有称赞的人，那一定是经过考察了的。这些值得被称赞的人，正是夏、商、周三代推行正道的依靠。"

15.26　子曰："吾犹及史之阙文也①，有马者借人乘之②。今亡矣夫！"

注释：

①阙文：有疑问而空缺的文字。

②有马者借人乘之：是说有马的人如果自己不能训练驾驭，就可以借给有能力的人来训练驾驭，不必强不能以为能。与上句在史书中空缺不记留待明白的人来记录一样，比喻不必强不知以为知。

译文：

孔子说："我还看得到史书中因为存在疑问就空缺不记的情况，如同有马不能驾驭的人把马借给别人使用一样。如今则没有这种情况了！"

15.27　子曰："巧言乱德①。小不忍则乱大谋。"

注释：

①巧言乱德：意如"巧言令色，鲜矣仁"（见1.3章）。

译文：

　　孔子说："花言巧语能败坏道德。小事不忍耐就会扰乱大的谋划。"

15.28　子曰："众恶之，必察焉；众好之，必察焉。"①

注释：

①此章指出对于舆论必须分析考察，不可简单地从众。可参看13.24章。

译文：

　　孔子说："众人都厌恶他，一定对他加以考察；众人都喜欢他，也一定对他加以考察。"

15.29　子曰："人能弘道，非道弘人。"①

注释：

①此章强调人的主观能动性，修行仁道决定于人的努力，人只要努力就能习得道的博大内容。反之，如果自身不努力，弘大的道也不能使人伟大起来。参见7.30、12.1章。

译文：

　　孔子说："人能发扬光大道，不是道能光大人。"

15.30　子曰："过而不改，是谓过矣。"①

注释：

①此章反映孔子对待过错的态度。可参看 1.8 章。

译文：

孔子说："犯了错却不改正，这才叫过错呢。"

15.31　子曰："吾尝终日不食，终夜不寝，以思，无益，不如学也。"①

注释：

①此章讲学与思的关系问题。孔子主张学习与思考结合，不可偏执其一。可参看 2.15 章。

译文：

孔子说："我曾经整天不吃饭，整夜不睡觉，用来思考，结果没有长进，还不如学习呢。"

15.32　子曰："君子谋道不谋食。耕也，馁在其中矣①；学也，禄在其中矣②。君子忧道不忧贫。"

注释：

①馁(něi)：饥饿。

②学也，禄在其中矣：意同"学而优则仕"(见 19.13 章)。

译文：

孔子说："君子追求道义而不追求饭食。耕田，也常常忍受饥饿；学习，从中得到的是俸禄。君子担心学不到道义，而不担心会贫穷。"

15.33 子曰:"知及之^①,仁不能守之,虽得之,必失之。知及之,仁能守之,不庄以莅之^②,则民不敬。知及之,仁能守之,庄以莅之,动之不以礼,未善也。"

注释:

①知(zhì):"智"的古体字。

②莅(lì):治理。

译文:

孔子说:"智慧足以得到它,仁德不能守住它,即使得到了它,一定会失掉它。智慧足以得到它,仁德能够守住它,却不能庄重地治理它,那么老百姓就不尊敬你。智慧足以得到它,仁德能够守住它,能够庄重地治理它,却不按礼的规定来行动,还是没有达到至善。"

15.34 子曰:"君子不可小知而可大受也^①,小人不可大受而可小知也。"

注释:

①小知:做小事情。如"稼""圃"(见13.4章)之类。大受:承担重任。

译文:

孔子说:"君子不可以做小事情而可以承担重任,小人不可以承担重任而可以做小事情。"

15.35　子曰："民之于仁也,甚于水火。水火,吾见蹈而死者矣^①,未见蹈仁而死者也^②。"

注释:

①蹈:踏,踩。

②蹈:履行,遵循。

译文:

　　孔子说:"老百姓对于仁德的需要,超过对于水火的需要。我见到过踏进水火而死的人,没有见过因实践仁德而死的人。"

15.36　子曰:"当仁^①,不让于师。"

注释:

①当:值。

译文:

　　孔子说:"遇到可实践仁道的机会,对老师也不必谦让。"

15.37　子曰:"君子贞而不谅^①。"

注释:

①贞:信。谅:参见14.17注④。

译文:

　　孔子说:"君子讲诚信,但不拘泥于小信。"

15.38　子曰："事君,敬其事而后其食①。"

注释:

①事:职事,职责。食:俸禄。

译文:

　　孔子说:"侍奉君主,应该敬慎地对待自己的职责,而把俸禄放到后面。"

15.39　子曰："有教无类①。"

注释:

①类:种类,类别。此章是孔子明确提出自己的教育理论,即对接受教育的对象要一视同仁。可参见7.7章。同时孔子还有因材施教的教育方法,即针对不同的接受者给与不同的指导,可参见11.20章。

译文:

　　孔子说:"对任何人都可以有所教诲,没有种类的限制。"

15.40　子曰："道不同,不相为谋。"

译文:

　　孔子说:"原则主张不同,就不能一起谋事。"

15.41　子曰:"辞达而已矣。"

译文:

> 孔子说:"言辞能够表情达意就行了。"

15.42　师冕见①,及阶,子曰:"阶也。"及席,子曰:"席也。"皆坐,子告之曰:"某在斯,某在斯。"
师冕出。子张问曰:"与师言之道与?"子曰:"然。固相师之道也②。"

注释:

①师冕:师,乐师。冕,人名。古代的乐师一般由盲人充当。

②相(xiàng):帮助。

译文:

> 师冕来见孔子,走到台阶前,孔子说:"这里是台阶。"走到席前,孔子说:"这里是坐席。"都坐定了,孔子便告诉他说:"某人在这里,某人在这里。"
>
> 师冕出去。子张问道:"这是和乐师说话的方式吗?"孔子说:"是的,这本来就是帮助乐师的方式。"

季氏第十六

　　本篇分为十四章。多数章节记孔子语录时称"孔子曰",与此书其他篇章记作"子曰"的体例不合,由此可知本篇内容多非孔子弟子所记。尽管如此,本篇的史料价值仍然很高:16.1章涉及鲁国国君与季氏矛盾不断激化,季氏将要攻打支持鲁君的颛臾的史实。16.2-16.3章概括春秋之世天子权力不断下移,诸侯、大夫、家臣逐步越权专政的历史进程。内容涉及孔子的政治思想、教育思想、天命思想、道德修养思想等。16.12章描述齐景公时国势强盛而道德衰微的情况。16.14章记载当时国君及其夫人在不同场合宜用的称谓。同时也反映了孔子均贫富、和众寡、安内来外的德政主张,尊天子、卑诸侯、削弱大夫、抑制陪臣的政治理想。16.4、16.5、16.7、16.8、16.9章讲君子修养之道:结交有益的朋友,培养有益的爱好,警惕不当的行为,心中有所敬畏,言行经过思虑。16.13章反映孔子教学的内容和教学中一视同仁的态度。

16.1　季氏将伐颛臾①。冉有、季路见于孔子，曰："季氏将有事于颛臾②。"

孔子曰："求！无乃尔是过与③？夫颛臾，昔者先王以为东蒙主④，且在邦域之中矣，是社稷之臣也⑤。何以伐为⑥？"

冉有曰："夫子欲之，吾二臣者皆不欲也。"

孔子曰："求！周任有言曰⑦：'陈力就列⑧，不能者止。'危而不持⑨，颠而不扶⑩，则将焉用彼相矣⑪？且尔言过矣，虎兕出于柙⑫，龟玉毁于椟中⑬，是谁之过与？"

冉有曰："今夫颛臾，固而近于费⑭。今不取，后世必为子孙忧。"

孔子曰："求！君子疾夫舍曰欲之而必为之辞⑮。丘也闻有国有家者，不患贫而患不均，不患寡而患不安⑯。盖均无贫，和无寡，安无倾。夫如是，故远人不服，则修文德以来之。既来之，则安之。今由与求也，相夫子，远人不服，而不能来也；邦分崩离析，而不能守也；而谋动干戈于邦内。吾恐季孙之忧，不在颛臾，而在萧墙之内也⑰。"

注释：

①季氏：指季康子，见2.20章注①。颛臾（zhuānyú）：鲁

国的附庸国,在今山东费县西北。

②事:这里指军事行动。

③尔是过:就是"过尔",责备你(们)。"是"起指示宾语提前的作用。

④东蒙主:主持祭祀东蒙山的人。东蒙,即蒙山,在今山东蒙阴县南。因在鲁国东边,故称东蒙。

⑤社稷:指鲁国公室。颛臾为鲁国的附庸,故称社稷之臣。

⑥为:语气助词,表疑问语气。

⑦周任:古代的一个史官,有良史之称。

⑧陈力:贡献力量。就列:就任职位。

⑨危:站立不稳。持:扶持。

⑩颠:跌倒。

⑪相:专职帮助盲人的人,护理人。这里用来比喻冉有、子路,当时二人皆做季氏的家宰,故云。

⑫兕(sì):一种类似野牛的独角怪兽。柙(xiá):关野兽的笼子。

⑬椟(dú):匣子。

⑭固:指城池坚固。费(bì):季氏的采邑,在今山东费县西南。

⑮辞:借口,这里指找借口。

⑯不患贫而患不均,不患寡而患不安:原作"不患寡而患不均,不患贫而患不安",从下文作"均无贫,和无寡"来看,这里的"贫"和"均"是就财富而言,"寡"与"安"是就人民而言,故改从此。

⑰萧墙:门屏,古代宫室用以分隔内外的当门小墙。这里用来指代鲁国的国君。季氏与鲁国国君矛盾尖锐。此

章的背景正是季氏与鲁哀公有矛盾,哀公想除掉操纵国政的三家,季氏担心世代为鲁臣的颛臾帮助哀公,故采取先发制人的战术。

译文:

季氏将要攻打颛臾。冉有、季路拜见孔子说:"季氏将对颛臾采取军事行动。"

孔子说:"求!难道不该责备你们吗?颛臾,当初先王让它做东蒙山的主祭,而且是在鲁国国境之内的国家。这是国家的臣子啊。为什么要攻打它呢?"

冉有说:"季氏想要这样做,我们两个做臣子的都不想这样做。"

孔子说:"求!周任有句话说:'能够施展自己的才力,就接受这个职务,不能施展才力的就应该辞职让位。'盲人站立不稳不能去扶持,摔倒了又不能把他扶起来,那么又何必要用那个护理人呢?而且,你的话说错了。老虎、犀牛从笼子里跑出来,龟甲、美玉在匣子中被毁坏,这是谁的过错呢?"

冉有说:"颛臾呀,城墙坚固而且离季氏的采邑费城很近,现在如果不攻取它,将来必定会成为子孙的忧患。"

孔子说:"求!君子最痛恨那种嘴上不说'想要得到它'而一定要替自己的行为找借口的人。我听说,不管是有封地的诸侯还是有食邑的大臣,不担心财产少,只担心财富分配不均;不担心人口少,只担心境内不安定。因为财富平均,就无所谓贫穷;上下和睦,就不觉得人口少;境内安定,国家就不会倾覆。正因为要做到这样,所以远方的人如果不归顺,就应该加强文教德化来使他们归顺,他们归顺之后,就要使他们安顿下来。现在你们两个人辅佐季氏,远方的人不归顺却不能使他们来归;国家四分五裂却不能加以保全,反而策划在国境内发动战争。我担心季孙的忧患,不在颛臾,而在鲁国的宫廷之内啊!"

16.2　孔子曰:"天下有道,则礼乐征伐自天子出;天下无道,则礼乐征伐自诸侯出。自诸侯出,盖十世希不失矣;自大夫出,五世希不失矣;陪臣执国命①,三世希不失矣。天下有道,则政不在大夫。天下有道,则庶人不议②。"

注释:

①陪臣:大夫的家臣。

②庶人:无官爵的平民百姓。不议:不加非议,指政治清明,无可非议。

译文:

　　孔子说:"天下太平,那么制礼作乐和下令征伐的权力都掌握在天子手中;天下昏乱,那么制礼作乐和下令征伐的权力都掌握在诸侯手中。掌握在诸侯手中,大约传至十代很少有不失掉的;掌握在大夫手中,传至五代很少有不失掉的;如果是家臣操纵了国家政令,传至三代很少有不失掉的。天下太平,那么政令就不会掌握在大夫手中。天下太平,那么老百姓就不非议政治。"

16.3　孔子曰:"禄之去公室五世矣①,政逮于大夫四世矣②,故夫三桓之子孙微矣③。"

注释：

①禄：爵禄，这里指颁授官爵，是掌握政权的象征。五世：
指鲁宣公、成公、襄公、昭公、定公五代。

②四世：指季孙氏文子、武子、平子、桓子四代。

③三桓：见3.2章注①。微：衰微。鲁国三卿至鲁定公时
权势已衰，孔子"自大夫出，五世希不失矣"（见上章）的
话正是针对这种情况说的。

译文：

孔子说："鲁国的权力从国君手中失掉已经五代了，
政权落到大夫手里已经四代了，因此仲孙、叔孙、季孙三
家的子孙已经衰微了。"

16.4　孔子曰："益者三友，损者三友：友直，友
谅①，友多闻，益矣；友便辟②，友善柔③，友便
佞④，损矣。"

注释：

①谅：信。

②便辟：逢迎谄媚。

③善柔：阿谀奉承。

④便(pián)佞：花言巧语。

译文：

孔子说："有益的朋友有三种，有害的朋友有三种：跟
正直的人交朋友，跟诚信的人交朋友，跟博学多闻的人交
朋友，就有益处。跟逢迎谄媚的人交朋友，跟阿谀奉承的
人交朋友，跟花言巧语的人交朋友，就有害处。"

16.5　孔子曰:"益者三乐①,损者三乐。乐节礼乐,乐道人之善②,乐多贤友,益矣;乐骄乐,乐佚游③,乐宴乐④,损矣。"

注释:

①乐:爱好。

②道:称道。

③佚:安逸。

④宴乐:宴饮取乐。

译文:

　　孔子说:"有益的爱好有三种,有害的爱好有三种。喜欢以礼乐节制自己,喜欢称赞别人的好处,喜欢多交贤德的朋友,就有益处。喜欢骄纵作乐,喜好安逸游乐,喜欢宴饮取乐,就有害处。"

16.6　孔子曰:"侍于君子有三愆①:言未及之而言谓之躁,言及之而不言谓之隐,未见颜色而言谓之瞽。"

注释:

①愆(qiān):过失。

译文:

　　孔子说:"侍奉君子有三种过失:话没到该说的时候就说,叫做急躁;话到了该说的时候却不说,叫做隐瞒;没有察颜观色却冒然开口,叫做盲目。"

16.7　孔子曰："君子有三戒：少之时，血气未定，戒之在色；及其壮也^①，血气方刚，戒之在斗；及其老也，血气既衰，戒之在得^②。"

注释：

①壮：壮年，年满三十。

②得：贪求占有。

译文：

　　孔子说："君子有三件事要警惕：年少的时候，血气还不成熟，应该警惕不要沉溺女色；到了壮年，血气正旺，应该警惕不要争强好斗；到了老年，血气已经衰退，应该警惕不要贪求占有。"

16.8　孔子曰："君子有三畏：畏天命，畏大人^①，畏圣人之言。小人不知天命而不畏也，狎大人^②，侮圣人之言。"

注释：

①大人：居高位的人。

②狎（xiá）：亲昵而不尊重。

译文：

　　孔子说："君子有三种敬畏：敬畏天命，敬畏居高位的人，敬畏圣人的话。小人不知天命不可违抗而不敬畏，不尊重居高位的人，轻侮圣人的话。"

16.9　孔子曰："生而知之者,上也;学而知之者,次也;困而学之,又其次也。困而不学,民斯为下矣!"

译文:

　　孔子说:"生下来就知道的人,是上等;经过学习才知道的人,是次一等;感到困惑才学习的人,又次一等;感到困惑仍不学习,这样的人就是下等人了。"

16.10　孔子曰："君子有九思:视思明,听思聪,色思温,貌思恭,言思忠,事思敬,疑思问,忿思难,见得思义。"

译文:

　　孔子说:"君子有九件事要思考:看的时候要明察,听的时候要听清,脸色要温和,态度要恭敬,说话要忠诚,办事要敬慎,产生疑惑要询问,生气时要避免惹祸,得到利益要考虑是否符合道义。"

16.11　孔子曰："见善如不及①,见不善如探汤②。吾见其人矣,吾闻其语矣。隐居以求其志,行义以达其道。吾闻其语矣,未见其人也。"

注释：

①如不及：好像会赶不上似的。形容急切追求。

②探：试。汤：热水。

译文：

孔子说："看到好的行为如同赶不上似地急切追求，看到不好的行为如同用手试热水一样赶快躲开。我看到过这样的人，也听到过这样的话。隐居起来以保全自己的志向，据义行事以实现自己的主张。我听到过这样的话，但没有看到过这样的人。"

16.12　齐景公有马千驷①，死之日，民无德而称焉②。伯夷叔齐饿于首阳之下③，民到于今称之。其斯之谓与④？

注释：

①景公：见 12.11 章注①。

②无德而称：没有人因感激而称赞他。

③伯夷、叔齐：见 5.23 注①。首阳：山名。在今何地，说法不一，以认为在今山西永济县西蒲州镇较可信。

④此句之前恐有脱文，否则"斯之谓"的说法没有着落。古注认为，脱漏的就是"诚不以富，亦祇以异"(见 12.10 章)一句。

译文：

齐景公纵然有四千匹马，死的时候，老百姓没有人因感激而称赞他。伯夷、叔齐饿死在首阳山下，老百姓直到如今还对他们称赞不已。（《诗经》里说的："真的不是因为富足，只是因为品德卓异。"）大概就是说的这个吧？

16.13 　陈亢问于伯鱼曰①:"子亦有异闻乎②?"

对曰:"未也。尝独立,鲤趋而过庭③。曰:'学《诗》乎?'对曰:'未也。''不学《诗》,无以言④。'鲤退而学《诗》。他日,又独立,鲤趋而过庭。曰:'学礼乎?'对曰:'未也。''不学礼,无以立!'鲤退而学礼。闻斯二者。"

陈亢退而喜曰:"问一得三:闻《诗》,闻礼,又闻君子之远其子也⑤。"

注释:

①陈亢:见1.10章注①。伯鱼:孔子之子孔鲤的字,见11.8注②。

②异闻:不同的听闻。这里陈亢怀疑孔子对孔鲤有偏私,对他教授的比弟子们多。

③趋:快走。按照礼的规定,臣经过君的面前,子经过父的面前,都要小步快走以示谨敬。

④不学《诗》,无以言:见13.5章注③。

⑤远:不亲近溺爱,指严格要求。

译文:

陈亢询问伯鱼说:"你从你父亲那里听到过与众不同的讲授吗?"

伯鱼回答说:"没有。他曾独自站在庭中,我恭敬地快走而过。他问我道:'学过《诗经》了吗?'我回答说:'没有。'他就说:'不学《诗经》,无法讲话。'我退下后就学习《诗经》。另一天,他又独自站在庭中,我恭敬地快走而过。他问我道:'学过礼仪了吗?'我回答说:'没有。'他就说:'不学礼仪,无法立身。'我退下后就学习礼仪。我就听到这两点。"

陈亢退下后很高兴地说:"问一件事得知三件事:得知《诗经》很重要,得知礼仪很重要,还得知君子严格教育自己的儿子。"

16.14　邦君之妻,君称之曰夫人,夫人自称曰小童;邦人称之曰君夫人;称诸异邦曰寡小君;异邦人称之,亦曰君夫人。[1]

注释:

[1]此章也是孔子正名的实例。可参看13.3、13.14章。

译文:

国君的妻子,国君称她为夫人,夫人自称为小童;本国人称她为君夫人;当着别国人就称她为寡小君;别国人称呼她,也叫君夫人。

阳货第十七

本篇分为二十六章。兼有"子曰"和"孔子曰"的章节,而以称"子曰"的居多。

内容比较庞杂。有涉及家臣操权、叛乱的章节:17.1章讲鲁国的阳货越权,欲请孔子相助,为孔子所推辞。17.5章讲鲁国的公山弗扰背叛季氏,17.7章讲晋国的佛肸背叛范氏。从这三章可以了解当时社会屡见以下犯上状况之一斑。又有论及礼乐的章节:17.4章显示礼乐教化在治政中的作用,17.8章说明"礼"对于仁、智、信、直、勇、刚等品质的规范之功,17.11章强调重视礼乐的精神内涵。其他则有17.6章讲解符合"仁"德的具体行为。17.9-17.10章反映《诗》教的作用。17.12-17.14、17.17-17.18、17.21-17.22、17.24章批评几种不合道德礼数的行为。17.16章指出古今之人的差别。17.19章强调重视身教。17.23章崇尚"义"。

17.1　　阳货欲见孔子①，孔子不见，归孔子豚②。孔子时其亡也③，而往拜之④，遇诸涂⑤。

谓孔子曰："来！予与尔言。"曰："怀其宝而迷其邦⑥，可谓仁乎？"曰："不可。好从事而亟失时⑦，可谓知乎？"曰："不可。日月逝矣，岁不我与。"

孔子曰："诺。吾将仕矣⑧。"

注释：

①阳货：又作"阳虎"。季氏的家臣。据《左传》定公五年—九年记载：季氏连续几代把持鲁国朝政，后落到阳货之手。阳货企图削除三桓，遭到讨伐，奔齐，最后逃往晋国。此处所记之事的背景是，阳货知道孔子反对三桓越权，想争取孔子成为自己铲除三桓的同盟，结果是孔子反对"政在大夫"，更反对"陪臣执国命"（见16.2章），与阳货的政见根本不同。

②归：通"馈"，赠送。豚（tún）：小猪。

③时其亡：趁阳货不在家的时候。时，通"伺"，窥伺。

④往拜之：根据礼节的规定，"大夫有赐于士，不得受于其家，则往拜其门"。因孔子不愿与阳货交往，所以选择阳货不在家时回拜。

⑤涂：道路。

⑥怀：藏。宝：指本领。迷：混乱。这里指听任社会混乱而不管。

⑦亟（qì）：屡次。

⑧吾将仕：古注以为这里是"以顺辞免"。就说是：这是孔

子敷衍的话,并非真要出仕。

译文:

　　阳货想见孔子,孔子不愿见他,便赠送孔子一只小猪。

　　孔子趁他不在家的时候,前往拜谢以还礼。

　　在路上遇见阳货。

　　阳货对孔子说:"过来!我跟你讲话。"说:"把自己的本领藏起来,任凭自己的国家混乱不已,可以称得上是仁吗?"自己回答说:"称不上是仁。喜欢从政却又屡次错失时机,可以称得上是智吗?"自己又回答说:"称不上是智。日月流逝,年岁不等我们啊。"

　　孔子敷衍地说:"好吧,我就要出来做事了。"

17.2　子曰:"性相近也,习相远也。"

译文:

　　孔子说:"人们的性情本是相近的,因为习染不同,便相差很远。"

17.3　子曰:"唯上知与下愚不移①。"

注释:

①知(zhì):"智"的古体字。

译文:

　　孔子说:"只有上等的智者与下等的愚人是改变不了的。"

17.4　子之武城①,闻弦歌之声。夫子莞尔而笑曰②:"割鸡焉用牛刀③?"

子游对曰:"昔者偃也闻诸夫子曰:'君子学道则爱人,小人学道则易使也。'"

子曰:"二三子! 偃之言是也。前言戏之耳!"

注释:

①武城:见 6.14 章注①。

②莞(wǎn)尔:微笑的样子。

③割鸡焉用牛刀:比喻大材小用。此处是针对武城有代表礼乐教化的弦歌之声而言。

译文:

孔子到了武城,听见弹奏琴瑟歌唱的声音。孔子微微一笑,说:"杀鸡何必用牛刀呢?"

做武城长官的子游回答说:"以前我听先生说过:'君子学过礼乐之道就懂得爱人,小人学过礼乐之道就容易使唤'。"

孔子说:"弟子们! 偃的话是对的。我刚才的话不过跟他开玩笑罢了。"

17.5　公山弗扰以费畔①,召,子欲往。

子路不说②,曰:"末之也已③,何必公山氏之之也④?"

子曰:"夫召我者而岂徒哉? 如有用我者,吾其为东周乎⑤!"

注释:

①公山弗扰:又作"公山不狃",字子洩。季氏的家臣。畔:"叛"的古体字,叛季氏。《左传·定公十二年》记载:公山不狃叛鲁,被当时做司寇的孔子派人打败;没有公山不狃召孔子前往的记载。因此后人对此章的真实性有争议。

②说(yuè):"悦"的古体字。

③末:无。之:往。已:罢了。

④何必公山氏之之:"何必之公山氏"的倒装。第一个"之",起指示宾语提前的作用,第二个"之"字是往的意思。

⑤东周:复兴周道于东方。

译文:

公山弗扰在费邑反叛季氏,召孔子前往,孔子想去。

子路不高兴,说:"没有地方去也就算了,何必到公山弗扰那里呢?"

孔子说:"那个召我去的人,难道就平白无故吗?如果有人能任用我,我将在东方复兴周的世道!"

17.6 子张问仁于孔子。孔子曰:"能行五者于天下,为仁矣。"

"请问之。"曰:"恭,宽,信,敏,惠。恭则不侮,宽则得众,信则人任焉,敏则有功,惠则足以使人。"

译文:

子张向孔子询问什么是仁。孔子说:"能在天下实行五种品德就可以说是仁了。"

子张说:"请问是哪五种品德?"孔子说:"恭敬,宽厚,信实,勤敏,慈惠。恭敬就不会受到侮辱,宽厚就能获得众人拥护,信实就会使别人为你效力,勤敏就会取得成功,慈惠就足以役使别人。"

17.7 佛肸召^①,子欲往。

子路曰:"昔者由也闻诸夫子曰:'亲于其身为不善者,君子不入也。'佛肸以中牟畔^②,子之往也,如之何?"

子曰:"然。有是言也。不曰坚乎,磨而不磷^③;不曰白乎,涅而不缁^④。吾岂匏瓜也哉^⑤?焉能系而不食?"

注释:

①佛肸(bì xī):晋国大夫范氏的家臣,中牟的地方官。《左传·哀公五年》记载:哀公五年(公元前 490 年),赵简子征范、中行,围中牟。佛肸占据中牟,抗拒赵简子。当时孔子正在周游列国。

②中牟(mù):晋国的地名,在今河北邢台、邯郸之间。

③磷(lìn):薄损。

④涅(niè):染黑。缁(zī):黑色。

⑤匏(páo)瓜:可以做水瓢的葫芦。

译文:

佛肸召孔子前往,孔子想去。

子路说:"以前我听先生说过这样的话:'亲自做坏事

的人那里,君子是不去的。'如今佛肸占据中牟叛乱,您却
要去,为什么这样呢?"

　　孔子说:"是的,我说过这样的话。但是,不是有坚硬
的东西吗,磨也磨不薄;不是有洁白的东西吗,染也染不
黑。我难道是葫芦吗? 怎么能只是悬挂在那里不食
用呢?"

17.8　子曰:"由也,女闻六言六蔽矣乎①?"对
曰:"未也。"

　　"居②! 吾语女。好仁不好学③,其蔽也愚;
好知不好学,其蔽也荡;好信不好学,其蔽也
贼④;好直不好学,其蔽也绞;好勇不好学,其蔽
也乱;好刚不好学,其蔽也狂。"

注释:

①蔽:通"弊"。

②居:坐。

③学:"学"的对象应该是"礼"。

④贼:败坏。

译文:

　　孔子说:"仲由! 你听说过六种品德的六种弊病吗?"
子路回答说:"没有。"

　　孔子说:"坐下! 我告诉你。爱好仁德却不喜欢学
习,它的流弊是愚蠢;爱好聪明却不喜欢学习,它的流弊
是放荡没有根基;爱好诚实却不喜欢学习,它的流弊是

抱守小信而败坏事情;爱好直率却不喜欢学习,它的流弊是尖刻伤人;爱好勇敢却不喜欢学习,它的流弊是导致混乱;爱好刚强却不喜欢学习,它的流弊是狂妄自大。"

17.9 子曰:"小子!何莫学夫《诗》?《诗》可以兴①,可以观②,可以群③,可以怨④。迩之事父⑤,远之事君。多识于鸟兽草木之名。"

注释:

①兴:《诗》即景抒情的创作手法之一,即托物兴起的意思,多读《诗》就会习得。

②观:指观察社会。古诗多反映世情民俗,政治得失,因此说读《诗》可以观风俗。

③群:与人交际、交往。当时贵族交往多赋《诗》言志,以为辞令,因此说学过《诗》才能与人交往谈话。

④怨:怨刺。孔子主张表达感情必须适度,即"乐而不淫,哀而不伤"(见3.20章)。借《诗》来怨刺,正可以避免过分怨愤的情感。

⑤迩(ěr):近。

译文:

孔子说:"弟子们,为什么不学《诗》呢?《诗》可以即景抒发人的思想感情,可以用来观察风俗民情政治得失,可以用来交往朋友,可以用来讽刺评论不平的事情。近则可以用来侍奉父母,远则可以用来侍奉君主,并且可以认识许多鸟兽草木的名称知识。"

17.10 子谓伯鱼曰:"女为《周南》、《召南》矣乎^①? 人而不为《周南》、《召南》,其犹正墙面而立也与^②!"

> **注释:**
>
> ①女(rǔ):通"汝",你。《周南》、《召(shào)南》:《诗经·国风》的两个部分,即两种地方民歌。周南泛指洛阳以南直至江汉一带地区。召南为岐山之南召地。儒家认为《周南》、《召南》的二十五篇诗歌反映了文王、周公社会政治的基础,是《国风》中最为纯正的部分。
>
> ②正墙面而立:面对着墙站立,一步不能前进。比喻没有知识,就没有前途。
>
> **译文:**
>
> 孔子对儿子孔鲤说:"你学习《周南》、《召南》了吗? 人如果不学习《周南》、《召南》,大概就像是面对着墙壁站着无法前进吧?"

17.11 子曰:"礼云礼云,玉帛云乎哉? 乐云乐云,钟鼓云乎哉?"^①

> **注释:**
>
> ①此章说明孔子重视礼乐的实质精神,而不是器物与形制。可参看3.3章。
>
> **译文:**
>
> 孔子说:"礼呀礼呀,说的只是玉帛之类的礼器吗?

乐呀乐呀,说的只是钟鼓之类的乐器吗?"

17.12　子曰:"色厉而内荏①,譬诸小人,其犹穿窬之盗也与②?"

注释:

①荏(rěn):软弱,怯懦。

②窬(yú):越过。

译文:

　　孔子说:"面色严厉而内心怯懦,如果用小人来作比喻,大概就像是打洞、翻墙行窃的小偷吧?"

17.13　子曰:"乡原①,德之贼也!"

注释:

①乡原(yuàn):指貌似恭谨,实际与流俗合污的人。

译文:

　　孔子说:"乡原是败坏道德的人。"

17.14　子曰:"道听而涂说,德之弃也!"

译文:

　　孔子说:"在道路上听到又在道路上传说,这是抛弃道德的。"

17.15　子曰："鄙夫可与事君也与哉？其未得之也，患不得之①；既得之，患失之。苟患失之，无所不至矣。"

注释：

①患不得之：原作"患得之"，误。

译文：

　　孔子说："粗鄙的人可以跟他一起侍奉君主吗？当他没有获得的时候，总是忧虑不能得到。得到以后，又担心会失去。如果担心失去什么，那就会什么事都干得出来的。"

17.16　子曰："古者民有三疾①，今也或是之亡也。古之狂也肆，今之狂也荡；古之矜也廉②，今之矜也忿戾；古之愚也直，今之愚也诈而已矣。"

注释：

①疾：毛病。

②廉：棱角。这里形容人的品行方正有威严。

译文：

　　孔子说："古时候的人有三种毛病，现在或许连这样的毛病也变了。古时狂妄的人是放肆了些，如今狂妄的人却放荡不羁；古时矜持的人还能方正威严，如今矜持的人却忿怒乖戾；古时愚蠢的人很夯直，如今愚蠢的人却是装样子骗人罢了。"

17.17　子曰:"巧言令色,鲜矣仁。"①

注释:

①此章重出,已见1.3章。

译文:

　　孔子说:"花言巧语,面貌伪善的人,仁德是很少的。"

17.18　子曰:"恶紫之夺朱也①,恶郑声之乱雅乐也②,恶利口之覆邦家者③。"

注释:

①紫:间色。朱:正色。

②郑声:见15.11章注⑤。雅乐:用于郊庙朝会的正乐。

③邦家:诸侯之邦与大夫之家。

译文:

　　孔子说:"厌恶紫色取代了红色的正位,厌恶郑国的音乐扰乱了雅乐,厌恶用巧嘴快舌去颠覆邦国采邑的人。"

17.19　子曰:"予欲无言①。"子贡曰:"子如不言,则小子何述焉?"子曰:"天何言哉?四时行焉,百物生焉,天何言哉?"

①无言：孔子的教育方法是重视身教，因此说"欲无言"。
可参看 1.14、7.25、13.6 等章。

译文：

孔子说："我不想说话了。"子贡说："老师如果不说话，那么弟子们传述什么呢？"孔子说："上天说了什么呢？春夏秋冬四季照样运行，众物照样生长，上天说了什么呢？"

17.20　孺悲欲见孔子①，孔子辞以疾。将命者出户②，取瑟而歌，使之闻之。

注释：

①孺悲：鲁国人。鲁哀公曾派他向孔子学习士丧礼。

②将命者：传口信的人。

译文：

孺悲想见孔子，孔子借口说有病加以拒绝。传信的人刚出门，孔子就拿过瑟弹着唱歌，故意让他听到。

17.21　宰我问："三年之丧，期已久矣。君子三年不为礼，礼必坏；三年不为乐，乐必崩。旧谷既没，新谷既升①，钻燧改火②，期可已矣③。"

子曰："食夫稻④，衣夫锦，于女安乎⑤？"

曰："安。"

"女安，则为之！夫君子之居丧，食旨不

甘⑥,闻乐不乐⑦,居处不安,故不为也。今女安,则为之!"

宰我出。子曰:"予之不仁也! 子生三年,然后免于父母之怀。夫三年之丧,天下之通丧也。予也有三年之爱于其父母乎?"

注释:

①升:成熟。

②钻燧改火:古时钻木取火或敲燧石取火。改火,一年四季,所钻木各异,故称改火。

③期(jī):一年。

④稻:古代北方以稷(小米)为主要粮食,稻米是很稀少而且精细的粮食,因此这里用"稻"与"锦"相对。

⑤女(rǔ):通"汝"。下同。

⑥旨:美味。

⑦闻乐不乐:前"乐"音 yuè,后"乐"音 lè。前指音乐,后指快乐。

译文:

宰我问道:"为父服丧三年,为期太久了。君子三年不修习礼仪,礼仪一定会败坏;三年不演奏音乐,音乐一定会毁掉。陈谷已经吃完,新谷已经成熟,钻火所用的木材已经经过一个轮回,丧期一年也就可以了。"

孔子说:"吃精细的稻米,穿织锦的衣服,对于你来说心安吗?"

宰我说:"心安。"

孔子说:"你只要心安,就那样做吧。君子服丧期间,吃美味不觉得甘美,听音乐不觉得愉快,闲居也不觉得安适,因此不那样做。现在你觉得心安,就那样做吧!"

　　宰我出去了。孔子说:"宰予不仁啊!子女生下三年,然后才脱离父母的怀抱。三年的丧期,是天下通行的丧礼。宰予难道没有在他父母的怀里得到过三年的爱抚吗?"

17.22　子曰:"饱食终日,无所用心,难矣哉①!不有博弈者乎②,为之犹贤乎已。"

注释:

①难矣哉:见15.17章注①。

②博:古代的一种棋局游戏。双方各六枚棋,黑白为别。先掷骰子,再走棋。弈:围棋。

译文:

　　孔子说:"整天吃得饱饱的,一点也不动脑筋,想要进德难了啊!不是有六博和围棋的游戏吗?天天下棋也比这样闲着没事强。"

17.23　子路曰:"君子尚勇乎?"子曰:"君子义以为上。君子有勇而无义为乱,小人有勇而无义为盗。"

译文:

　　子路问道:"君子崇尚勇敢吗?"孔子说:"君子认为义是最可贵的。君子只有勇敢而没有道义,就会犯上作乱;小人只有勇敢而没有道义,就会做盗贼。"

17.24　子贡曰："君子亦有恶乎①?"子曰："有恶,恶称人之恶者,恶居下流而讪上者②,恶勇而无礼者,恶果敢而窒者③。"

曰："赐也亦有恶乎?""恶徼以为知者④,恶不孙以为勇者⑤,恶讦以为直者⑥。"

注释:

①本章中除"人之恶者"中的"恶"音è外,其他"恶"字均音wù,指厌恶。

②讪(shàn):毁谤。

③窒:阻塞不通,顽固不化。

④徼(jiāo):抄袭。

⑤孙:"逊"的古体字。

⑥讦(jié):揭发别人的隐私或过错。

译文:

子贡问道:"君子也有厌恶的吗?"孔子说:"有厌恶的。厌恶宣扬别人坏处的人,厌恶身居下位却毁谤上位的人,厌恶勇敢却不讲礼仪的人,厌恶果断敢为却顽固不化的人。"

孔子又说:"赐,你也有厌恶的吗?"子贡说:"厌恶抄袭了别人却当作自己的知识的人,厌恶不谦虚却以为自己很勇敢的人,厌恶揭发别人却以为自己很直率的人。"

17.25　子曰："唯女子与小人为难养也,近之则不孙①,远之则怨。"

注释:

①孙:"逊"的古体字。

译文:

  孔子说:"只有女子和小人是难以养用的,亲近他们,他们就不知道恭顺;疏远他们,他们就有怨气。"

17.26 子曰:"年四十而见恶焉①,其终也已。"

注释:

①年四十:孔子认为四十岁为"不惑"之年(见2.4章),也应当已经成名了(参看9.23章)。恶(wù):厌恶。

译文:

  孔子说:"活到四十岁还被人厌恶,他这一辈子也就算完了啊!"

微子第十八

　　本篇分为十一章,内容以反映孔子的处世态度为主,而且大多是通过与隐士思想行为的对比来表现的。18.1章称赞微子、箕子、比干在纣王乱世不同的抗争行为。18.2章肯定柳下惠正道直行,不肯曲同流俗。18.3-18.4章记述孔子游历诸侯国不能用世的实情。18.5章通过楚狂接舆避乱世而隐的做法反衬孔子四处游说以求进用的用世观。18.6章以长沮、桀溺躲避乱世的消极主张来衬托孔子以天下为己任的积极态度。18.7章借子路之口批评荷蓧丈人避开乱世的行为扰乱了最重要的伦理关系,放弃了推行大义的责任。18.8章强调孔子遇事唯义是从、态度灵活的特点。18.9章反映礼乐制度遭到破坏,乐师各自离去的情况;与此相反,孔子本人一直在寻找机会用世,为恢复礼制而努力。18.10、18.11章记述周代的有德之人。

18.1 微子去之^①,箕子为之奴^②,比干谏而死^③。孔子曰:"殷有三仁焉。"

注释:

①微子:商纣王的同母兄。名启,微是封国名,子是爵名。微子生时其母为帝乙之妾,生纣时已立为妻,故帝乙死后,纣嗣立。纣王无道,微子离开他出走。

②箕子:商纣王的叔父。名胥余,箕是封国名。纣王无道,箕子进谏,不听,就披散头发,假装颠狂,沦为奴隶。

③比干:商纣王的叔父。名干,比是封国名。纣王无道,比干强谏,纣大怒,说:"我听说圣人之心有七个孔。"便把比干杀死,把他的心剖开观看。

译文:

商纣王无道,微子离开他出走,箕子做了他的奴隶,比干因为进谏而死。孔子说:"殷商有三位仁人。"

18.2 柳下惠为士师^①,三黜^②。人曰:"子未可以去乎?"曰:"直道而事人,焉往而不三黜?枉道而事人,何必去父母之邦?"

注释:

①柳下惠:见 15.14 注②。士师:狱官。

②黜(chù):罢免。

译文:

柳下惠做狱官,三次被罢免。有人对他说:"您不可以离开吗?"柳下惠说:"若用正直之道来侍奉人,到哪里不会被再三罢免呢? 若用邪曲之道侍奉人,又何必要离开父母之国呢?"

18.3　齐景公待孔子,曰:"若季氏,则吾不能,以季、孟之间待之^①。"曰:"吾老矣^②,不能用也。"孔子行。

注释:

①季、孟之间:鲁国三卿中,季氏为上卿,孟氏为下卿。季、孟之间即上卿、下卿之间。

②吾老矣:孔子不满齐景公给他的待遇,托辞年老而不接受。

译文:

　　齐景公准备给孔子礼遇,说:"像鲁国给季氏那样的地位,我做不到;将用季氏孟氏之间的待遇来对待他。"孔子说:"我已经老了,不能做什么了。"孔子于是离开齐国。

18.4　齐人归女乐^①,季桓子受之^②,三日不朝。孔子行^③。

注释:

①归(kuì):通"馈",赠送。女乐:歌妓舞女。

②季桓子:即季孙氏。鲁定公五年(公元前505年)至哀公三年(公元前492年)为执政上卿。

③孔子行:据《史记·孔子世家》记载,鲁定公十四年(公元前 496 年),孔子五十六岁时由大司寇兼理宰相事。齐国人听说了,生怕鲁国从此强盛称霸,设计赠送鲁定公和季桓子女乐,二人接受了。孔子感到很失望,离开了鲁国。

译文:

　　齐国送给鲁国一批歌妓舞女,季桓子接受了,三天不上朝理政,孔子于是离开鲁国出走。

18.5　楚狂接舆歌而过孔子曰①:"凤兮!凤兮!何德之衰?往者不可谏②,来者犹可追③。已而!已而!今之从政者殆而!"

　　孔子下,欲与之言。趋而辟之④,不得与之言。

注释:

①楚狂:楚国的狂人,实为假装疯狂而隐的贤者。接舆:古注以为《论语》所记隐士皆以事名之。如守门人叫做"晨门",执杖者叫做"丈人",路过孔子车驾者叫做"接舆",并非真实名字。
②往者不可谏:意同"遂事不谏"(见 3.21 章)。
③追:及。
④辟(bì)."避"的古体字。

译文:

　　楚国的狂人接舆唱着歌经过孔子的车旁,唱道:"凤呀,凤呀!为什么你的德行竟如此衰败!以往的错事已不可制止，未来的前途还来得及谋划。算了吧！算了吧！如今的从政者岌岌可危了！"

孔子下车，想跟他讲话。他急行避开，孔子没能跟他说上话。

18.6　长沮、桀溺耦而耕①，孔子过之，使子路问津焉②。

长沮曰："夫执舆者为谁？"

子路曰："为孔丘。"

曰："是鲁孔丘与？"

曰："是也。"

曰："是知津矣。"

问于桀溺。

桀溺曰："子为谁？"

曰："为仲由。"

曰："是鲁孔丘之徒与？"

对曰："然。"

曰："滔滔者天下皆是也③，而谁以易之④？且而与其从辟人之士也⑤，岂若从辟世之士哉？"耰而不辍⑥。

子路行以告。

夫子怃然曰⑦："鸟兽不可与同群，吾非斯人之徒与而谁与？天下有道，丘不与易也。"

注释：

①长沮(jù)、桀溺：两个隐者，因在水边耕作，因此称"沮"，称"溺"。耦(ǒu)而耕：两人合耕。

②津：渡口。

③滔滔：形容动乱。

④以：与。

⑤而：通"尔"，你。辟："避"的古体字。

⑥耰(yōu)：用土覆盖种子。辍(chuò)：停止。

⑦怃(wǔ)然：怅然，失意的样子。

译文：

　　长沮、桀溺两个人并排耕地，孔子经过那里，派子路向他们打听渡口。

　　长沮问道："那个执辔驾车的人是谁？"

　　子路说："是孔丘。"

　　长沮又问："此人是鲁国的孔丘吗？"

　　子路回答道："是的。"

　　长沮便说："他是知道渡口的。"

　　又问桀溺。

　　桀溺说："您是谁？"

　　子路回答说："是仲由。"

　　桀溺又问："你是鲁国孔丘的门徒吗？"

　　子路回答道："是。"

　　桀溺又说："天下到处都是动乱不安的样子，跟谁一起来改变现状呢？况且，你与其跟随能避开恶人的志士，难道能比上跟随避开乱世的隐士吗？"说完后照样平土覆盖种子，干个不停。

　　子路回来，告诉了孔子。

　　孔子怅然叹道："鸟兽不可以与它们同群，我不跟世人相处又跟谁相处呢？如果天下太平，我就不跟他们一起来改变现状了。"

18.7　　子路从而后，遇丈人，以杖荷蓧①。

　　子路问曰："子见夫子乎？"

　　丈人曰："四体不勤②，五谷不分，孰为夫子？"植其杖而芸③。

　　子路拱而立。

　　止子路宿④，杀鸡为黍而食之⑤，见其二子焉⑥。

　　明日，子路行以告。

　　子曰："隐者也。"使子路反见之。至则行矣。

　　子路曰："不仕无义。长幼之节，不可废也；君臣之义，如之何其废之？欲洁其身，而乱大伦。君子之仕也，行其义也。道之不行，已知之矣。"

注释：

①蓧（diào）：古代除草用的农具。

②四体：四肢。

③植：插立。芸：通"耘"，除草。

④止：留。

⑤黍：黄米，黏的小米。

⑥见(xiàn)：使见。

译文：

　　子路跟随孔子出行，落在了后面，碰到一位老人，用拐杖挑着除草用的农具。

　　子路问道："您见到我的老师了吗？"

　　老人说："那些四肢不勤劳，五谷分不清的人，谁是老师呢？"于是就把拐杖插在地上除起草来。

　　子路拱手恭敬地站着。

　　老人便留子路过夜，杀鸡做饭给他食用，还介绍自己的两个儿子见子路。

　　第二天，子路赶上孔子，把自己的经历告诉了孔子。

　　孔子说："这是一位隐士。"让子路返回去见他。子路到了他家，他已出门了。

　　子路说："不做官是不合乎道义的。长幼之间的礼节，都不可废弃；君臣之间的大义，又怎么能废弃呢？想避开乱世洁身自保，却扰乱了最重要的伦理关系。君子做官，是为了推行大义。理想的治道行不通，早就知道了。"

18.8　逸民①：伯夷、叔齐、虞仲、夷逸、朱张、柳下惠、少连②。子曰："不降其志，不辱其身，伯夷、叔齐与！"谓："柳下惠、少连，降志辱身矣。言中伦③，行中虑，其斯而已矣。"谓："虞仲、夷逸，隐居放言。身中清，废中权④。我则异于是，无可无不可⑤。"

注释：

①逸民：遗落于世而无官位的贤人。

②伯夷、叔齐：见 5.23 章注①。柳下惠：见 15.14 章注②。虞仲、夷逸、朱张：事迹无考。少连：东夷之子，孔子称其善居丧。

③中(zhòng)：合乎。伦：条理、法则。

④权：权变。

⑤无可无不可：这句表现孔子遇事态度灵活的特点。他的"可"与"不可"是以符合义否为根据的。参见 4.10 章。

译文：

　　遗落在民间的贤者有：伯夷、叔齐、虞仲、夷逸、朱张、柳下惠和少连。孔子说："不降低自己的志向，不屈辱自己的身份，这样的人是伯夷、叔齐吧？"又说："柳下惠、少连，降低了志向，屈辱了身份；但是讲话有条理，做事经思虑；他们不过如此罢了。"又说"虞仲、夷逸，避世隐居，说话随便，保持自身清白，去官合乎权宜。我则跟这些人不同，没有什么可以的，也没有什么不可以的。"

18.9　大师挚适齐①，亚饭干适楚②，三饭缭适蔡，四饭缺适秦。鼓方叔入于河，播鼗武入于汉③，少师阳、击磬襄入于海。

注释：

①大师挚：名挚的乐师之长。或即 8.15 章的"师挚"。

②亚饭：二饭，第二顿饭。古代天子、诸侯用饭时都奏乐相伴。一日几餐，各有不同的乐师。天子一日四餐，鲁

国用周天子礼乐,故有"二饭"、"三饭"、"四饭"之称。

③播:摇。鼗(táo):长柄小鼓。

译文:

　　名叫挚的乐师之长到了齐国,名叫干的二饭乐师到了楚国,名叫缭的三饭乐师到了蔡国,名叫缺的四饭乐师到了秦国,名叫方叔的鼓手到了黄河之滨,名叫武的摇小鼓的人到了汉水之滨,名叫阳的少师以及名叫襄的击磬手到了海边。

18.10　周公谓鲁公曰①:"君子不施其亲②,不使大臣怨乎不以③。故旧无大故,则不弃也。无求备于一人。"

注释:

①周公:见7.5章注①。鲁公:周公之子伯禽,封于鲁,故称鲁公。

②施:通"弛",放松。引申为疏远。

③以:用。

译文:

　　周公对鲁公说:"君子不疏远他的亲族,不让大臣埋怨没有被任用。故友旧交没有重大过错,就不遗弃。对别人不要求全责备。"

18.11　周有八士:伯达、伯适、仲突、仲忽、叔夜、叔夏、季随、季骊①。

注释：

①适（kuò）、䤵（guā）。这里八个人的名字是按排行字伯、
仲、叔、季加单名组成的，事迹则不可知。

译文：

周朝有八个知名之士：伯达、伯适、仲突、仲忽、叔夜、
叔夏、季随、季䤵。

子张第十九

　　本篇分为二十五章。所记全是孔子弟子的语录,包括子张 3 章、子夏 10 章、子游 3 章、曾子 4 章、子贡 6 章(有重合)。论及君子之行、道德信义、交友原则、知识技能、好学精神、好问勤思、大德不逾、学仕关系、居丧适度、孝道规定、哀悯百姓、恶居下流、知过改错、学无常师等内容,多数主张与孔子本人的很接近,从中可以看出弟子们对孔子学说的信奉和传承。也有评价人物的内容,19. 12 章论及子夏门人。19. 15－19. 16 章评价子张。19. 23－19. 25 章评价孔子,反映了弟子对孔子圣人形象的维护。

19.1 子张曰:"士见危致命^①,见得思义,祭思敬,丧思哀,其可已矣。"

注释:

①致:给予,献出。

译文:

子张说:"士看见危难敢于献身,看见有所得就想到是否合乎道义,祭祀的时候要严肃,居丧的时候要悲哀,那也就可以了。"

19.2 子张曰:"执德不弘^①,信道不笃,焉能为有? 焉能为亡^②?"

注释:

①弘:大。在这里引申为动词。

②焉能:哪里能,怎么能。

译文:

子张说:"执守道德不能发扬光大,信仰道义不能坚定不移,这种人怎么能算是有道德? 又怎么能算是没有道德?"

19.3 子夏之门人问交于子张。子张曰:"子夏云何?"

对曰:"子夏曰:'可者与之^①,其不可者拒之。'"

子张曰："异乎吾所闻，君子尊贤而容众，嘉善而矜不能②。我之大贤与，于人何所不容？我之不贤与，人将拒我，如之何其拒人也？"

注释：

①与：交往。

②矜：怜悯。

译文：

子夏的弟子询问子张应该怎样与人交往？子张说："子夏是怎样说的？"

回答说："子夏说：'人品可以的就跟他交往，人品不可以的就加以拒绝。'"

子张说："不同于我所听到的：君子尊重贤人，也包容广大的普通人；赞美好人，也怜悯无能的人。我自己如果很贤明的话，对于别人有什么容不下的？我自己如果不够贤明的话，人家将拒绝跟我相文，我又怎么可能去拒绝别人呢？"

19.4 子夏曰："虽小道①，必有可观者焉；致远恐泥，是以君子不为也。"

注释：

①小道：指各种具体的方法、知识和技能。子夏擅长小道，因此孔子告诫他"女为君子儒，无为小人儒"（见6.13章）。孔子也并非轻视具体的方法、知识和技能，

相反,他本人也是多才多能的(可参见 9.2、9.6 章);他只是反对拘泥于此。

译文:

　　子夏说:"即使是小技艺,也一定有可观摩的地方;只是对于实现远大理想,恐怕会有妨碍,因此君子才不从事它。"

19.5　子夏曰:"日知其所亡^①,月无忘其所能,可谓好学也已矣。"

注释:

①亡(wú):指不知道的东西。

译文:

　　子夏说:"每天都能学到自己不会的知识,每月都不忘掉自己已学会的东西,这就可以说是好学了啊。"

19.6　子夏曰:"博学而笃志,切问而近思^①,仁在其中矣。"

注释:

①切:恳切。

译文:

　　子夏说:"广泛地学习,而且能坚定自己的意志;诚恳地提问,而且深刻地思考,仁就在这里面了。"

19.7　子夏曰："百工居肆以成其事①,君子学以致其道。"

注释:

①肆:作坊。

译文:

　　子夏说:"各种工匠在作坊里劳作来完成他们的具体工作,君子通过学习来掌握大道。"

19.8　子夏曰："小人之过也必文①。"

注释:

①文:文饰,掩盖。

译文:

　　子夏说:"小人犯了错误,一定加以掩饰。"

19.9　子夏曰："君子有三变:望之俨然①,即之也温②,听其言也厉。"

注释:

①俨然:形容矜持庄重。

②即:靠近。

译文:

　　子夏说:"君子给人的印象有三变:远看他,庄重矜持;贴近他,温和可亲;听他讲话,又很严肃。"

19.10　子夏曰:"君子信而后劳其民,未信,则以为厉己也;信而后谏,未信,则以为谤己也。"

译文:

　　子夏说:"君子要建立信用,然后才能役使人民;如果没有建立信用,百姓就会以为自己在受虐待。君子要建立信用,然后才能劝谏别人;如果没有建立信用,听者就会以为是在诽谤自己。"

19.11　子夏曰:"大德不逾闲①,小德出入可也。"

注释:

①大德:德行中的大节。　闲:木栅栏,引申为界限。

译文:

　　子夏说:"大节上不超越界限,小节上有些出入是可以的。"

19.12　子游曰:"子夏之门人小子,当洒扫、应对、进退,则可矣①,抑末也②。本之则无,如之何?"

　　子夏闻之,曰:"噫! 言游过矣! 君子之道,孰先传焉? 孰后倦焉③? 譬诸草木,区以别矣。君子之道,焉可诬也? 有始有卒者,其惟圣人乎!"

注释：

①洒扫：洒水扫地。应对："应"为答应，"对"为回答。这些内容都是待客之礼的必要环节。

②抑：不过。末：指礼仪之末。

③倦：竭力。

译文：

　　子游说："子夏的弟子们，担当打扫、应答、接待客人的工作是可以的。但这些不过是礼仪的末节，根本性的知识却没有学到，怎么办？"

　　子夏听到后，说："咳！言游说错了！君子的学问，哪一个是先传授的，哪一个是后教的？这就好像草木一样，是有区别的。君子的学问，怎么可以歪曲呢？能够按照次第有始有终地教授学生的，大概只有圣人吧！"

19.13　子夏曰："仕而优则学①，学而优则仕。"

注释：

①优：饶，余。

译文：

　　子夏说："做官如果有余力就去学习，学习如果有余力就去做官。"

19.14　子游曰："丧致乎哀而止。"①

注释：

①此章强调居丧致哀（引申为表达情感）必须适度的道理。

可参见 3.20、3.26、19.1 章。

译文：

子游说："居丧尽到悲哀之情就该有所限制。"

19.15 子游曰："吾友张也，为难能也①。然而未仁。"

注释：

①张：即子张。参见 2.18 章注①。难能：难以做到。在孔子弟子中，子张是比较突出的一个人，他把仁作为自己追求的目标（参见 17.6 章），修习道德时能既重理论，又重实践（参见 12.10、15.6 章）。子张的缺点是过头和偏激（参见 11.16、11.18 章），这不符合中庸之道，因此说"未仁"。

译文：

子游说："我的朋友子张啊，他所做的已是难能可贵的了，但是还没有达到仁。"

19.16 曾子曰："堂堂乎张也①，难与并为仁矣。"

注释：

①堂堂：形容容仪庄严大方。

译文：

曾子说："子张容仪庄严大方，但是难以跟他一起修养仁德。"

19.17　曾子曰："吾闻诸夫子：人未有自致①者也,必也亲丧乎!"

注释：

①致：尽其极。指尽情,尽心等。

译文：

　　曾子说："我从先生那里听说过：人没有充分地抒发感情的时候,如果有,一定是在为父母亲居丧的时候。"

19.18　曾子曰："吾闻诸夫子：孟庄子之孝也①,其他可能也,其不改父之臣与父之政②,是难能也。"

注释：

①孟庄子：鲁国大夫仲孙速,其父孟献子仲孙蔑卒于鲁襄公十九年(公元前 554 年),他本人卒于鲁襄公二十三年(公元前 550 年)。

②不改父之臣与父之政：即"无改于父之道"(见 1.11 章)。根据《左传》的记载,孟庄子延用了他父亲确立的军赋办法,不改"父之政"大概就是指此事。

译文：

　　曾子说："我从先生那里听说过：孟庄子的孝,其他方面别人也可能做得到,而他在父亲死后,不改变父亲任用的人和施行的政策,这一点别人是很难做到的。"

19.19 孟氏使阳肤为士师①。问于曾子,曾子曰:"上失其道,民散久矣②。如得其情,则哀矜而勿喜。"

注释:

①阳肤:古注以为是曾子的弟子。士师:狱官。

②民散:指民心离散,想要背叛。

译文:

孟孙氏派阳肤做狱官。阳肤向曾子请教,曾子说:"居上位的人治民失去道义,老百姓民心离散已经很久了。你如果掌握了他们犯罪的真情,就要哀痛怜悯他们,而不要沾沾自喜。"

19.20 子贡曰:"纣之不善①,不如是之甚也。是以君子恶居下流②,天下之恶皆归焉。"

注释:

①纣:商朝的最后一个君主。名辛,暴虐无道,为周武王所灭。"纣"是谥号。

②下流:下游。这里指众恶所归之处。

译文:

子贡说:"商纣的不好,不像传说的这么严重。所以君子厌恶居身居低下的处境,因为一旦如此,天下的坏名声都会集中到他身上。"

19.21　子贡曰："君子之过也,如日月之食焉:过也,人皆见之;更也^①,人皆仰之。"

注释:

①更:改过。

译文:

　　子贡说:"君子的过错好像日蚀月蚀那样:犯了过错,人人都能看到;改了过错,人人都能敬仰。"

19.22　卫公孙朝问于子贡曰^①:"仲尼焉学?"子贡曰:"文、武之道^②,未坠于地^③,在人。贤者识其大者,不贤者识其小者。莫不有文、武之道焉。夫子焉不学?而亦何常师之有?"

注释:

①公孙朝:卫国大夫。春秋时叫公孙朝的有多人,鲁国有成大夫公孙朝,见《左传·昭公二十六年》;楚国有武城尹公孙朝,见《左传·哀公十七年》;郑国子产的弟弟也叫公孙朝,见《列子》。因此这里以"卫公孙朝"区别之。

②文武之道:周文王、周武王的治道。孔子自认为是文武之道的承担者,参见9.5章。

③坠于地:指失传。

译文:

　　卫国的公孙朝询问子贡说:"仲尼是从哪里学成的?"子贡说:"周文王、周武王的治道,没有失传,散落在民间。

贤能的人能够了解它的大旨,不贤能的人只能抓住它的末节。到处都有文武之道存在,先生在哪里不能学呢?为什么要有固定的老师专门传授呢?"

19.23　叔孙武叔语大夫于朝①,曰:"子贡贤于仲尼。"

　　子服景伯以告子贡②。

　　子贡曰:"譬之宫墙③,赐之墙也及肩,窥见室家之好。夫子之墙数仞④,不得其门而入,不见宗庙之美、百官之富⑤。得其门者或寡矣。夫子之云,不亦宜乎⑥!"

注释:

①叔孙武叔:鲁国大夫,名州仇。三桓之一。语(yù):告诉。

②子服景伯:见 14.36 章注②。

③宫墙:围墙。

④仞(rèn):古代度量单位,七尺或八尺为一仞。

⑤官:房舍。

⑥宜:合情合理。这里是说孔子的学问广博精深,不是一般人能够了解的。因此一般的人对孔子得不出正确的认识也就是情理中的事。

译文:

　　叔孙武叔在朝廷中对诸位大夫说:"子贡比仲尼强。"

　　子服景伯把这话告诉了子贡。

　　子贡说:"拿围墙打比方的话,我家的围墙跟肩头一样高,可以从外面看见家中房舍的美。先生家的围墙有数仞高,如果找不到门走进去,就见不到宗庙的华美,房舍的富丽。但是能够找到门的人很少。武叔先生那样说,不也是合乎情理的吗?"

19.24　叔孙武叔毁仲尼。子贡曰:"无以为也①!仲尼不可毁也。他人之贤者,丘陵也,犹可逾也;仲尼,日月也,无得而逾焉。人虽欲自绝,其何伤于日月乎?多见其不知量也②!"

19.25　陈子禽谓子贡曰①:"子为恭也②,仲尼岂贤于子乎?"

　　子贡曰:"君子一言以为知,一言以为不知,言不可不慎也。夫子之不可及也,犹天之不可阶而升也。夫子之得邦家者,所谓立之斯立,道之斯行③，绥之斯来④，动之斯和。其生也荣，其死也哀。如之何其可及也！"

注释：

①陈子禽：见1.10章注①。

②为恭：指对孔子刻意恭敬谦让。

③道(dǎo)："导"的古体字。

④绥(suí)：安抚，安定。

译文：

陈子禽对子贡说："您对孔子是刻意谦恭吧，仲尼难道真比您强吗？"

子贡说："君子说一句话能够表现出睿智，也能说一句话就表现出无知，讲话不可不谨慎啊。先生的不可匹及，就好像天一样高，是不可能凭借阶梯登上去的。先生如果得到诸侯之国、大夫之家的任用，就能做到：有所树立就能立得住，有所引导就能使百姓跟着走，有所安抚就能使人来投靠，有所动员就能得到响应。先生活着的时候就十分荣耀，死了之后又会让百姓哀恸。别人怎么能赶得上他呢？"

尧曰第二十

　　本篇包括三章。20.1 章是尧禅让帝位时的命舜之辞、商汤讨伐夏桀时的告天之辞、周武王分封诸侯之辞等。编纂《论语》的人将这些内容记于此，大约是为了说明孔子"祖述尧舜，宪章文武"之意。此章文字不甚连贯，当有脱落。20.2章为孔子答子张问从政。《汉书·艺文志》著录古文《论语》二十一篇，古注称："出孔子壁中，两《子张》"，"分《尧曰》篇后子张问'何如可以从政'已下为篇，名曰《从政》。"就是指古文传本的《论语》此章以下独立成篇。20.3 章所记内容与前多有重复。由此可知此篇是补缀而成的。

20.1　尧曰："咨①！尔舜！天之历数在尔躬②。允执其中③。四海困穷，天禄永终。"

舜亦以命禹。

曰："予小子履④，敢用玄牡⑤，敢昭告于皇皇后帝⑥：有罪不敢赦。帝臣不蔽⑦，简在帝心⑧。朕躬有罪，无以万方⑨；万方有罪，罪在朕躬。"

周有大赉⑩，善人是富⑪。"虽有周亲⑫，不如仁人。百姓有过，在予一人。"

谨权量⑬，审法度⑭，修废官⑮，四方之政行焉。兴灭国，继绝世，举逸民，天下之民归心焉。

所重：民、食、丧、祭。

宽则得众，信则民任焉⑯，敏则有功，公则说⑰。

注释：

①咨：感叹词，表示赞美。

②天之历数：这里指帝王相继的次第。古时帝王都说自己能当帝王是天命所决定的。躬：自身，本身。

③允：真诚。执：坚持。

④予小子：和下文的"予一人"一样，都是上古帝王的自称之词。履：商汤的名字。

⑤玄牡：黑色的公牛。

⑥皇皇：伟大的。后帝：天。

⑦帝臣：天帝之臣，汤自称。

⑧简：阅，引申为知道。

⑨无以：不要波及。以，及。

⑩赉（lài）：赏赐。

⑪善人是富：即"富善人"的倒装，"是"字指示提前宾语"善人"。

⑫周：至，最。

⑬权：秤砣，指代重量量具。量：容量量具。

⑭法度：长度，与上文的"权"、"量"相对应。

⑮废官：废缺的职官。赵佑《四书温故录》曰："或有职而无其官，或有官而不举其职，皆曰废。"

⑯信则民任焉：古本没有此句，可能是衍文。

⑰说（yuè）："悦"的古体字。

译文：

尧让位给舜的时候说："哦！舜呀！天命已经落在你身上了，要真诚地持守那正确的道路。如果让天下人都陷入困苦贫穷，天赐的禄位就会永远终结。"

舜让位给禹的时候也用这话来告诫禹。

商汤说："我这个后辈小子履，谨用黑色的公牛来祭祀，明明白白地告诉伟大的天帝：我这个有罪之人不敢擅自赦免。天帝的臣下如果有罪过也不敢掩盖，天帝的心中是非常明白的。我自身如果有罪，不要因此连累天下万方；天下万方如果有罪，罪过全在我一人身上。"

周朝有大的赏赐，让善人富有起来。"即使有至亲，也不如有仁人。老百姓如果有罪过，责任全在我一人身上。"

检验重量和容量单位，审定长度单位，治理废缺的职官，四方的政事也就行得通了。复兴灭亡的国家，接续断绝的世系,举用隐逸的贤人,天下的老百姓就会归服。

要重视的事情是:百姓,粮食,丧事,祭祀。

宽厚就能得到众人的拥护,守信用就能得到民众的任用,勤敏就会取得功绩,公平就会使人高兴。

20.2　子张问于孔子曰:"何如斯可以从政矣?"

子曰:"尊五美,屏四恶①,斯可以从政矣。"

子张曰:"何谓五美?"

子曰:"君子惠而不费,劳而不怨,欲而不贪,泰而不骄,威而不猛。"

子张曰:"何谓惠而不费?"

子曰:"因民之所利而利之②,斯不亦惠而不费乎!择可劳而劳之,又谁怨?欲仁而得仁,又焉贪?君子无众寡,无大小,无敢慢,斯不亦泰而不骄乎!君子正其衣冠,尊其瞻视,俨然人望而畏之,斯不亦威而不猛乎!"

子张曰:"何谓四恶?"

子曰:"不教而杀谓之虐;不戒视成谓之暴;慢令致期谓之贼③;犹之与人也,出纳之吝谓之有司④。"

注释:

①屏(bǐng):除去。

②因:根据,依靠。

③慢令：命令松懈。致期：期限紧迫。

④出纳：偏义复词，只有"出"的意思。有司：管事者的代
　称。这里是小气的意思。

译文：

　　子张询问孔子说："怎样做就可以从政了呢？"

　　孔子说："尊重五种美德，去除四种恶习，这样就可以
从政了。"

　　子张问道："什么是五种美德？"

　　孔子说："君子给人恩惠却不须破费，役使人民却不
会让人民心存怨恨，有欲望却不贪心，安详坦然却不骄傲
自大，威严却不凶猛。"

　　子张又问道："什么叫给人恩惠却不须破费？"

　　孔子说："借着人民能够得利的事情使他们得利，这
不就能做到给人恩惠却不须破费吗？选择可以役使人民
的事情和时机来役使人民，这不就能做到役使人民却不
会让人民心存怨恨吗？想得到仁就得到了仁，又有什么
可贪求的？君子无论人多人少，事大事小，从不敢怠慢，
这不就能做到安详坦然却不骄傲白人了吗？君子衣冠整
齐，仪表高贵，别人瞻视的时候，矜持庄重让人望而生畏，
这不就做到威严却不凶猛了吗？"

　　子张问道："什么是四种恶习？"

　　孔子说："不加教导便加杀戮，叫做虐；不加申诫，只
看中成绩，叫做暴；政令松懈，期限紧迫，叫做贼；如同给
人财物，出手吝啬，叫做小气。"

20.3　孔子曰："不知命，无以为君子也。不知
礼，无以立也。不知言，无以知人也。"

译文：

孔子说："不懂得命运，就不能够成为君子；不懂得礼数，就不能够立身行事；不懂得分辨别人的言语，就不可能了解人。"

图书在版编目(CIP)数据

论语/张燕婴译注. —北京:中华书局,2006.9
(2009.10 重印)

(中华经典藏书)

ISBN 978 - 7 - 101 - 05278 - 7

Ⅰ. 论… Ⅱ. 张… Ⅲ. ①儒家②论语 - 译文③论语 - 注释 Ⅳ. B222.2

中国版本图书馆 CIP 数据核字(2006)第 102898 号

书　名　论　语
译注者　张燕婴
丛书名　中华经典藏书
责任编辑　刘胜利
出版发行　中华书局
　　　　　(北京市丰台区太平桥西里 38 号　100073)
　　　　　http://www.zhbc.com.cn
　　　　　E - mail:zhbc@zhbc.com.cn
印　　刷　北京市白帆印务有限公司
版　　次　2006 年 9 月北京第 1 版
　　　　　2009 年 10 月北京第 13 次印刷
规　　格　开本/880×1230 毫米　1/32
　　　　　印张 10⅛　插页 2　字数 130 千字
印　　数　162001 - 172000 册
国际书号　ISBN 978 - 7 - 101 - 05278 - 7
定　　价　16.00 元